Institut für Energieübe

Mechanische Schwingungen und Geräusche von Leistungstransformatoren

Mechanische Schwingungen und Geräusche von Leistungstransformatoren

Von der Fakultät
Informatik, Elektrotechnik und Informationstechnik
der Universität Stuttgart
zur Erlangung der Würde eines Doktor-Ingenieurs (Dr.-Ing.)
genehmigte Abhandlung

vorgelegt von

Michael Beltle

aus Stuttgart

Hauptberichter: Prof. Dr.-Ing. Stefan Tenbohlen
Mitberichter: Prof. Dr.-Ing. Thomas Leibfried
Tag der mündlichen Prüfung: 26.06.2020

Institut für Energieübertragung und Hochspannungstechnik
der Universität Stuttgart

2020

iv

Bibliografische Information der Deutschen Nationalbibliothek:

Die Deutsche Nationalbibliothek verzeichnet diese Publikation in der Deutschen Nationalbibliografie, detaillierte bibliografische Daten sind im Internet über http://dnb.dnb.de abrufbar.

Universität Stuttgart
Institut für Energieübertragung und Hochspannungstechnik, Band 30

D 93 (Dissertation Universität Stuttgart)

Mechanische Schwingungen und Geräusche von Leistungstransformatoren

Herstellung und Verlag: BoD – Books on Demand, Norderstedt

ISBN: 978-3-75262-761-9

Vorwort

Vielen Dank an meine Eltern und meine Familie, allen meinen Kollegen aus der Hochspannungstechnik, der EMV und den Energienetzen, meinen Freunden und Kooperationspartnern, die mich und meine Dissertation fachlich und moralisch immer unterstützt haben.

Preface

Thanks to my parents and my family, all colleagues from HV, EMC and grids, my friends and collaboration partners who have always supported me and my work during all those years.

I don't want to believe, I want to know.
Carl Sagan

Kurzfassung

Die vorliegende Arbeit untersucht die Anwendbarkeit der Analyse von mechanischen Schwingungen für die dauerhafte Betriebsüberwachung von Leistungstransformatoren. Zunächst werden dazu die physikalischen Abhängigkeiten zwischen dem mechanischen Zustand des Aktivteils und dem Schwingungsverhalten des Transformators betrachtet. Im zweiten Teil der Arbeit folgt eine Analyse der Praxistauglichkeit des Ansatzes durch Korrelation von Mess- und Betriebsdaten mit Hilfe verschiedener mehrjähriger Langzeitmessungen. Der dritte Teil betrachtet die Anwendung des Schwingungsmonitorings für die Überwachung unerwünschter Gleichstromüberlagerungen in Übertragungsnetzen.

Für die Betrachtung der physikalischen Zusammenhänge werden zunächst die Quellen mechanischer Schwingungen, der magnetisierte Kern und die stromdurchflossenen Wicklungen beschrieben und hergeleitet. Speziell für die Bewertung des Zusammenhangs zwischen mechanischen Schwingungen und den Kerneinspannkräften wird ein Laboraufbau vorgestellt, der die Abhängigkeiten aufzeigt.

Um die betrieblichen und messtechnischen Parameter in der praktischen Anwendung bewerten zu können, werden mit einem eigens entwickelten Monitoringsystem Langzeitmessungen an unterschiedlichen Netzkuppel- und Maschinentransformatoren durchgeführt. Die Analyse berücksichtigt die betrieblichen Beeinflussungen der Schwingungsmessung durch die Stufenschalterstellung, die (Öl-)Temperatur und den Laststrom bzw. den Lastfaktor, die jeweils einzeln bewertet werden. Anhand der Zeitreihen wird gezeigt, wie betriebliche Einflüsse kompensiert werden können, so dass eine Trendanalyse der mechanischen Schwingungen ermöglicht wird.

Der dritte Teil behandelt eine Sonderform mechanischer Schwingungen, die durch überlagerte Gleichströme hervorgerufen wird. Anhand der physikalischen Theorie sowie mit Hilfe von Labormessungen an zwei verschalteten 380 kV Leistungstransformatoren wird gezeigt, welche signifikanten Auswirkungen Gleichströme haben. Dies berücksichtigt sowohl das Schwingungsverhalten, die Geräuschemissionen als auch den Leistungsbedarf von Transformatoren abhängig von der Kerngeometrie. Natürliche und künstliche Ursachen von Gleichströmen werden anhand verschiedener Feldmessungen in Übertragungsnetzen identifiziert und bewertet. Es wird gezeigt, wie mit Hilfe des Schwingungsmonitorings eine qualitative als auch quantitative Bewertung überlagerter Gleichströme ermöglicht werden kann.

Abstract

This work investigates the condition assessment of power transformers by means of mechanical oscillation monitoring. In the first part, the physical dependencies between the mechanical condition of the active part and mechanical oscillations are introduced. The second part of this work presents an analysis of the practical implications using correlations between mechanical oscillations and additional operational data, both obtained by long term measurements. The third part assesses the application of vibration monitoring for the detection and evaluation of undesirable direct current components in power transformers and AC grids.

First, the basic physical dependencies of the sources of mechanical oscillations are introduced: the magnetized core and the current-carrying windings. The focus lies on the influence of changing clamping forces of the active part on mechanical oscillations, which is facilitated by a laboratory setup using a distribution transformer with adjustable core fixations.

In the second part, the operational and measurement driven influencing parameters are evaluated using long term measurements on grid coupling power transformers and generator setup-up units. Therefore, a custom-built vibration monitoring test system is introduced for field measurements. The analysis presents the operational dependencies of the on-load tap changer, the (oil) temperature, and the load current or the load factor on the mechanical oscillations. The compensation of these influencing parameters is demonstrated in a use-case. Thus, a long-term trend-analysis of mechanical oscillation can be provided.

The third part of this work addresses the special case of mechanical oscillations of power transformers driven by superimposed direct currents (DC). Using both, physical theory and extensive laboratory tests performed on two connected 380 kV power transformers, the significant impacts of DC on mechanical oscillations, transformer noises and the transformer power consumption are determined. The influence of the core geometry is included into the consideration. Natural and man-made DC sources are identified and localized using combined online, onsite current and vibration measurements at different substations of the transmission grid. Correlations between onsite and laboratory measurements demonstrate how vibration monitoring can be used as both, a qualitative and quantitative method to identify and asses superimposed DC.

Abkürzungen und Formelzeichen

Abkürzungen

ADC	Analog to Digital Converter
ASTM	American Society for Testing and Materials
Cigré	Conseil International des Grands Reseaux Électriques
DGA	Dissolved Gas Analysis (Fehlergasanalyse)
ESB	Ersatzschaltbild
FFT	Fast Fourier Transformation
FRA	Frequency Response Analysis
IEEE	Institute of Electrical and Electronics Engineers
GIC	Geomagnetically induced currents – Geomagnetisch induzierte Ströme
HGÜ	Hochspannungsgleichstromübertragung
LKS	lokales kathodisches Korrosionsschutzsystem
ODAF	Kühlungsart, Oil Directed Air Forced
ODWF	Kühlungsart, Oil Directed Water Forced
ONAN	Kühlungsart, Oil Natural Air Natural
PAS	photoakustische Spektroskopie
RLZ	Raumladungszone
TE	Teilentladung
UHF	ultrahochfrequenz

Formelzeichen

$\vec{a}$	Beschleunigung
A_L	Hüllfläche für die Bestimmung des Schallleistungspegels
B	Magnetische Flussdichte
C	Kapazität
δ	relative Luftfeuchtigkeit
d	Dicke eines Elektrobelchs
D	Materialdichte
E	Feldstärke
ε_0	Elektrische Feldkonstante, $8{,}854 \cdot 10^{-12} \frac{As}{Vm}$
μ_0	Magnetische Feldkonstante, $1{,}2566 \cdot 10^{-6} \frac{N}{A^2}$
f	Frequenz
$\vec{I}_{mag}$	Magnetische Polarisation in ferromagnetischen Stoffen
K, k	Korrekturfaktoren
L_P	Schalldruckpegel
κ	Magnetische Suszeptibilität
L_W	Schallleistungsegel
L_{pA}	Logarithmische Signalleistung der mechanischen Schwingung
m	Masse
M	Gegeninduktivität (mutual inductivity) eines Transformators
$\vec{M}$	Magnetisierung
N	Non-active Power
N_i	Windungszahl der Windung i
N_{rel}	Relative akustische Strahlungsleistung
p	gemessener, mittlerer Schalldruck
p_0	menschliche Hörgrenze bei 1 kHz (20µPa)
P_0	Bezugswert für Luftschall (1 pW)
ϕ_H	Magnetischer Hauptfluss (durch den Kern)
ϕ_S	Magnetischer Streufluss (über Ölstrecke)
μ_r	Permeabilitätszahl
μ_{Drift}	Beweglichkeit freier Ladungsträger in Luft
q	Elementarladung $q = 1{,}6 \cdot 10^{-19}$ C
Q	Ladung ($Q = nq$, $n \in N$)
Q	Blindleistung bei Nennfrequenz

ρ	Anzahl der injizierten Ladungsträger
P	Wirkleistung
P_1	Wirkleistung bei Nennfrequenz (50 Hz)
P_H	Hystereseverluste
P_W	Wirbelstromverluste
r	Radius
R_i	Elektrischer Widerstand des Elements i in Ω
R_{Cu}	Kupferwiderstand der Wicklung
R_K	Ersatzwiderstand für die Verluste des Kernmaterials
R_M	Magnetischer Widerstand
ρ	spezifischer elektrischer Widerstand des Materials in Ω·m
S	Scheinleistung
S_1	Scheinleistungskomponenten der Nennfrequenz (50 Hz)
v	Schallschnelle
Θ_{ob}	Ölübertemperatur
V_T	Signalleistung der Schwingung am Transformatorkessel
$\vec{v}_{Drift}$	Driftgeschwindigkeit von freien Ladungsträgern
θ	Phasenwinkel zwischen Strom und Spannung
jX	Komplexe Betriebsmittelreaktanz
X_σ	Impedanz des Streuflusses eines Transformators
X_M	Impedanz des Hauptflusses eines Transformators

Inhaltsverzeichnis

1 Einleitung

Seit der Liberalisierung des Strommarktes befindet sich der Energiemarkt in einem steten Wandel. Die Deregulierung führte in den neu entstandenen Unternehmen zu einer eher defensiven Investitionspolitik. Damit gewinnt der Erhalt des bestehenden Betriebsmittelparks zunehmend an Bedeutung. Hinzu kommt die steigende Belastung und damit die beschleunigte Alterung der Betriebsmittel durch neue Anforderungen, die sich beispielsweise aus der Energiewende in Deutschland ergeben. Aus der Gruppe betroffener Betriebsmittel sind hier insbesondere Leistungstransformatoren zu nennen, also Netzkuppeltransformatoren des Übertragungsnetzes und Maschinentransformatoren, von denen ein erheblicher Anteil in den 70er und 80er Jahren des letzten Jahrhunderts gebaut wurde. Bisher bestehen nur wenige Erfahrungswerte für solch eine Konstellation aus gealterten Leistungstransformatoren und zunehmenden Beanspruchungen. Eine rein zeitbasierte Diagnose und Instandhaltung in halbjährigen oder längeren Zeitintervallen erscheint vor diesem Hintergrund nicht sinnvoll. Diese Einschätzung wird durch eine Studie von Transfomatorausfällen der Cigré unterstützt [1]. Die statistische Auswertung gibt keinen Hinweis auf ein ausgeprägtes Alterungsverhalten von Netzkuppeltransformatoren. Fehlern, welche zum Ausfall des Betriebsmittels führen, geht demnach keine lange Ankündigungszeit voraus und es gibt keine signifikanten Unterschiede in der Ausfallstatistik von neuen oder gealterten Leistungstransformatoren [2]. Um diesen Umstand zu begegnen, gewinnt die dauerhafte Überwachung von Leistungstransformatoren durch Monitoringverfahren an Bedeutung. Zum einen können dadurch die Zeiten ohne Zustandsinformationen praktisch auf null reduziert werden. Zum anderen erlaubt die kontinuierliche Messung die Verfolgung und Analyse des Trends unerwünschter Entwicklungen.

1.1 Verfahren zur Diagnose und Monitoring von Transformatoren

Für die Bewertung des Zustandes von Leistungstransformatoren stehen verschiedene Messverfahren zur Verfügung, die entweder als diagnostische Verfahren zum Einsatz kommen, um den aktuellen Zustand des Betriebsmittels zu beurteilen oder um im Rahmen eines Monitorings dauerhaft im Betrieb eingesetzt zu werden.

Die bekannteste Form einer Betriebsmitteldiagnose stellt die Fehlergasanalyse dar, die Dissolved Gas Analysis (DGA) [3]. Treten in der Feststoffisolation oder im Öl Fehler auf, finden durch den lokalen Energieeintrag chemische Zersetzungsprozesse statt [4]. Es entstehen neue, meist gasförmige Stoffe. Diese Fehlergase lösen sich im umgebenden Öl. Die DGA macht sich diesen Umstand zunutze [5].

Über die Zeit verteilen sich die Fehlergase im gesamten Ölvolumen und können somit durch eine Beprobung des Transformatoröls analysiert werden [6]. Im Rahmen der DGA werden die im Öl gelösten Gase durch verschiedene Verfahren bestimmt; zu nennen ist hier als klassischer Vertreter die Gaschromatographie mit Head Space Analyse oder Vakuumextraktion. Weitere Verfahren sind im Einsatz, z.B. die photoakustische Spektroskopie (PAS) [7] oder der Einsatz von Halbleitern als Gassensoren [8]. Der Ergebnisvektor besteht in jedem Fall aus den detektierten Gastypen und deren Menge, wobei die Verfahren bzgl. ihrer Genauigkeit stark variieren (die höchste Genauigkeit erreicht die Gaschromatographie [9]). Da spezifischen Fehlerbildern typische Fehlergase zugeordnet werden können, ermöglicht die Fehlergasanalyse indirekt Rückschlüsse auf den Fehler [10]. Bekannte Analyseverfahren nutzen häufig Fehlergasverhältnisse als Indikator für das Fehlerbild [11]. Für eine klassische diagnostische Anwendung der DGA findet eine einzelne Analyse einer Ölprobe im Labor statt. Verschiedene Verfahren ermöglichen inzwischen auch die kontinuierliche Überwachung von einzelnen oder mehreren Fehlergasen im Betrieb. Das Fehlergasmonitoring ermöglicht verglichen mit Einzelanalysen eine frühzeitige Erkennung entstehender Fehler [12]. Durch den verfügbaren zeitlichen Verlauf der Gaswerte kann die Entwicklung der Fehlerbilder zusätzlich in die Bewertung einfließen - anhand von Gasungsraten und einer Trendanalyse. Hierbei muss jedoch der gesamte Gashaushalt beachtet werden, da sich die tatsächliche Gasungsrate erst aus der Verrechnung der gemessenen Fehlergase mit den Gasverlusten ergibt [13]. Insbesondere gilt das bei den in Deutschland üblichen frei-atmenden Transformatoren [14]. Ergänzend zur DGA kann für die Beurteilung des gesamten Isolationssystems die Analyse anhand klassischer Ölkennzahlen vorgenommen werden. Zu nennen sind hier die Karl-Fischer-Titration zur Feuchte-Bestimmung und die Messung der Durchschlagspannung. Die Ölanalyse stellt oft den Ausgangspunkt weiterer, spezifischer Messverfahren dar.

Ebenfalls für die Bewertung der Isolation hat sich die Teilentladungsmessung (TE - Messung) bewährt. Die lokalen, temporären Durchschläge der Isolation durch TE stellen ein feldabhängiges Phänomen dar und hängen damit von der angelegten Spannung ab. Drei Messverfahren werden für die TE-Messung typischerweise eingesetzt. Das bekannteste und etablierte Verfahren ist die genormte elektrische TE-Messung gemäß DIN EN 60270 [15]. Das Verfahren misst über eine kapazitive Auskopplung den Nachladestrom einer TE. Das Integral des mittleren Nachladestroms ergibt den Ladungsaustausch, der als Abnahmekriterium bei jeder Stückprüfung eines Leistungstransformators zum Einsatz kommt.

Kritisch zu betrachten ist, dass die Bewertungsgröße, die so genannte *scheinbare Ladung*, nicht den tatsächlichen Ladungsumsatz an der Fehlerstelle darstellt, sondern die Systemantwort des Transformators an seinen Klemmen – also an den Durchführungen. Aufgrund der Induktivität der Wicklung und den Streukapazitäten zwischen Wicklung und geerdetem Kern bzw. Kessel ergeben sich Parallelpfade für den Nachladestrom. Das gemessene Signal ist damit bedämpft und nur ein Teil des Ladungsumsatzes kann erfasst werden [16]. Neben der Abnahmeprüfung werden diagnostische TE-Messungen an Leistungstransformatoren häufig dann ausgeführt, wenn im Vorfeld Indikatoren wie beispielsweise eine DGA auf TE-Aktivitäten hinweisen. Die Anwendung des Messverfahrens bei Betriebsmitteln im Feld ist aufwändig. Zunächst ist eine Freischaltung für die Installation der Koppelkondensatoren notwendig. Als mögliche Alternative hierzu kann der Messbelag kapazitiv gesteuerter Durchführungen verwendet werden, siehe unten. Wird der Transformator für die Messung vom lokalen Energienetz mit Spannung versorgt, ist eine sensitive Messung der inneren TE des Transformators häufig schwierig, da externe Störsignale wie beispielsweise äußere TE durch Korona an Freileitungen Signalüberlagerungen verursachen. Alternativ ist eine externe Spannungsversorgung mit einer TE-freien Quelle möglich, dies ist in vielen Fällen jedoch monetär nicht realisierbar. Für die dauerhafte TE-Überwachung wird die elektrische Messung selten eingesetzt. Bei Langzeitmessungen kann keine Koppelkapazität verwendet werden. Stattdessen werden die Messbeläge der Durchführungen zur Auskopplung des Nachladestroms verwendet. Hier ist jedoch zu beachten, dass diese typischerweise eine kleine Koppelkapazität aufweisen (C_K < 1nF), was bei der Bewertung der Messempfindlichkeit berücksichtigt werden muss: die geringere Impedanz führt zu einem ungünstigeren Verhältnis des Stromteilers, was zu einem schwächeren TE-Signal führt. Wie bereits beschrieben können nur die Überlagerung aus externen Störern und internen TE-Signalen gemessen werden.

Ein alternatives TE-Verfahren stellt die Messung der elektromagnetischen Emissionen mit einer Antenne dar [17]. Dafür wird in den Transformator eine geeignete Antenne eingebracht. Da es sich bei TE um transiente Vorgänge handelt, entstehen gestrahlte Emissionen im Ultrahochfrequenzbereich (UHF-Bereich). Im Vergleich zur elektrischen Messung existiert kein galvanischer Koppelpfad. Die Empfangsantenne kann über Flachkeilschieber ggf. auch während des Betriebs installiert werden. Daher wird diese Methode zunehmend bei Messungen im Feld (online / onsite) eingesetzt. Alternativ können bei neuen Transformatoren oder bei Revisionen im Werk dielektrische Fenster in den Kessel eingebaut werden, um Antennen unabhängig von den wenigen verfügbaren Flachkeilschiebern positionieren zu können.

Ein weiterer Vorteil der Methode ist, dass externe Störsignale, beispielsweise von Korona, nicht oder nur mit kleinen Signalpegeln in den Kessel dringen, der als Farady'scher Käfig undurchlässig für gestrahlte Störsignale ist [18]. Galvanische Einkopplungen über die Phasen können meist effektiv durch die Kapazitäten der Hochspannungsdurchführungen gegen Erde gefiltert werden (Tiefpassverhalten). Dies gilt im Allgemeinen aufgrund der kleineren Kapazität nicht für Mittelspannungsdurchführungen z.B. von Maschinentransformatoren auf Generatorseite. Die höhere Selektivität auf interne TE und die einfachere Messtechnik prädestiniert die UHF-TE-Messung für Monitoringanwendungen. Die Methode ist bisher noch nicht im Rahmen einer Norm standardisiert, wird aber im Rahmen von Arbeitsgruppen der Cigré auf ihre Eignung als Standardverfahren bewertet (Cigré, A2 / D1.51 joint working group). Die ausstehende Standardisierung verhindert aktuell noch die Vergleichbarkeit von UHF-Messungen untereinander – z.B. zwischen zwei Geräten unterschiedlicher Hersteller. Insbesondere ist ein einheitliches Kalibrierungsverfahren noch nicht definiert. Verschiedene Vorschläge, die auch eine einheitliche Charakterisierung der Antennen vorsehen, sind auch Gegenstand aktueller Forschung [19].

Das dritte Verfahren ist die akustische Messung von TE-Signalen. Die Signale im Ultraschallbereich können entweder durch Körperschallsensoren auf dem Kessel oder direkt in Öl mit Drucksensoren gemessen werden [20]. Anhand der Laufzeitunterschiede kann mittels Triangulationsalgorithmen die Position der TE mit einer gewissen Unsicherheit bestimmt werden. Die Messung kann entweder ausschließlich über akustische Sensoren erfolgen oder es können elektrische bzw. UHF-Messungen als Trigger verwendet werden [21]. Die kombinierte Messung ist in der Praxis meist vorteilhaft, da die Signalleistung der akustischen Signale unter der Rauschleistung liegt [22]. Mit einem konstanten Triggersignal können diese Signale über Mittelungsverfahren aus dem Rauschen extrahiert werden. Die akustische Messung und Ortung werden fast ausschließlich als diagnostisches Verfahren eingesetzt und nicht für Monitoring.

Um mechanische Deformationen der Wicklung festzustellen wird die Frequency-Response-Analyse (FRA) eingesetzt. Solche Deformationen entstehen häufig bei großen Krafteinwirkungen, z.B. Kurzschlüssen aber auch beim Transport [23]. Die Deformationen müssen nicht direkt zum Ausfall führen, stellen jedoch eine Schwachstelle dar, die bei einer weiteren Krafteinwirkung zu einem Betriebsmittelausfall führen kann. Mit der FRA wird die elektrische, frequenzabhängige Übertragungsfunktion zwischen zwei Klemmen des Transformators (Phasen oder Sternpunkt) bestimmt [24].

Der Frequenzgang definiert sich über Resonanzen, die durch Parallel- und Serien-schwingkreise der induktiven und kapazitiven Beläge hervorgerufen werden. Die ka-pazitiven Komponenten ergeben sich aus den Streukapazitäten zwischen einzelnen Windungen (Längskapazitäten) und zwischen den Windungen und dem geerdeten Kern bzw. Kessel oder zu anderen Wicklungen (Parallelkapazitäten). Alle vorkom-menden Streukapazitäten sind geometrieabhängige Größen.

Daher können Veränderungen der Geometrie durch eine Veränderung der Übertra-gungsfunktion festgestellt werden. Für eine FRA-Messung muss der Transformator komplett freigeschaltet werden. Auch müssen die Klemmen an den Durchführungen normalerweise von den angeschlossenen Freileitungen oder Kabeln getrennt wer-den, da deren Kapazitäten die Messung beeinflussen. Die Messung der Übertra-gungsfunktion findet typischer Weise im Bereich weniger Hz bis zu einigen MHz statt. Eine Zuordnung der einzelnen Resonanzstellen an die Geometrie des Transforma-tors ist nur bedingt möglich [23]. Vielmehr ist die FRA eine vergleichende Messme-thode, bei der Messungen mit einer Referenz abgeglichen werden. So können me-chanische Veränderungen durch Abweichungen in der Übertragungsfunktion festgestellt werden. In der Praxis werden meist zwei Vergleichsverfahren eingesetzt. Der zeitbasierte Vergleich nutzt als Referenz frühere Messungen desselben Trans-formators, beispielsweise Messungen am neuen Transformator direkt im Prüffeld des Herstellers. Der typbasierte Vergleich nutzt als Referenz einen baugleichen Schwes-tertransformator. Aufgrund von Fertigungstoleranzen ist dieser Vergleich aber meist schwierig. Um Messungen prinzipiell vergleichen zu können, muss der Messaufbau gut dokumentiert werden, da dieser einen erheblichen Einfluss auf die Übertragungs-funktion haben kann [25]. Hinzu kommt, dass die gemessene Übertragungsfunktion im niedrigen Frequenzbereich vom vorherigen Betriebszustand bzw. den Ausschalt-bedingungen abhängt (Remanenz des Kerns). Die FRA wird in der Praxis als Diag-nostikverfahren eingesetzt, da sich die Methode aufgrund des Messverfahrens nicht für Monitoringanwendungen eignet. Die FRA ist das einzige der vorgestellten Ver-fahren, das mechanische Veränderungen indirekt erfassen kann, ohne, dass bereits ein aktiver (lokaler) Fehler im Transformator ansteht. Nachteilig zu bewerten ist der hohe Aufwand für diagnostische Messungen und die prinzipbedingt fehlende An-wendbarkeit für eine dauerhafte Betriebsmittelüberwachung im Rahmen eines Moni-torings. Auch können Veränderungen der Kerneinspannung im Allgemeinen nicht detektiert werden [26].

1.1.1 Relevanz von mechanischen Schwingungsmessungen

Um die im vorherigen Kapitel genannten Defizite zu adressieren setzt die Idee an, betriebliche mechanische Schwingungen als zusätzliche diagnostische Messgröße zu nutzen [27]. Die wesentliche Motivation ist die frühzeitige Detektion sich entwickelnder Fehler. Diese können entweder im mechanischen Aufbau des Transformators selbst liegen, also die Wicklung oder der Kern betreffen, oder aber den Stufenschalter [28]. Darüber hinaus gibt es verschiedene Ansätze der Hersteller, das Schwingungsverhalten auch hinsichtlich verringerter Betriebsgeräusche zu Minimieren [29].

Erste Ansätze zur kombinierten Nutzung von FRA und der Schwingungsanalyse zur Feststellung von Wicklungsdeformationen in der Literatur zeigen die Vorteile dieses Ansatzes [30], [31], [32]. Hierbei handelt es sich meist um Untersuchungen im Labor bei denen verschiedene Randbedingungen wie Temperaturabhängigkeit und Laststrom zunächst keine Berücksichtigung erfahren. Auch hinsichtlich der Überwachung der gesamten Mechanik, also auch der Einspannkräfte des Kerns finden sich erste Grundlagenuntersuchungen [33], [34].

Schwingungsmessungen im Sinne einer diagnostischen Nutzung finden auch bei der Bewertung von Stufenschalten Anwendung, die bereits verschiedentlich untersucht wurden [35], [36]. Hierbei wird der Körperschall durch Sensoren am Kessel oder direkt am Deckel des Lastschaltergefäßes aufgezeichnet, der während den Stufenwechseln zunächst durch Vorwähler und dann durch den Lastschalter entsteht. Verschiedene Lastschaltertypen als auch charakteristische Fehler können hierbei ermittelt werden. Als Auswertemethode wird häufig die Wavelet-Transformation eingesetzt, um die verschiedenen auftretenden Frequenzanteile in ihrem zeitlichen Verlauf zu ermitteln [37], [38]. Das Verfahren wird auch zur dauerhaften Überwachung der Stufenschalter während des Betriebs des Transformators eingesetzt [39], [40].

Ein weiteres, bisher wenig betrachtetes Einsatzgebiet der mechanischen Schwingungsanalyse ist die Erfassung von Wechselwirkungen in Leistungstransformatoren, die durch überlagerte Gleichstromkomponenten hervorgerufen werden [41], [42], [43]. Die prinzipiellen Auswirkungen von Gleichströmen auf Transformatoren sind bereits länger bekannt, insbesondere die Veränderungen der durch mechanische Schwingungen verursachten Betriebsgeräusche [44]. Die Nutzung dieses diagnostischen Potentials macht durchaus Sinn, da in Zukunft mit einer Zunahme von Gleichströmen in Übertragungsnetzen zu rechnen ist [45] und die direkte Messung von Gleichströmen aufwändiger ist als eine messtechnisch einfacher umsetzbare Schwingungsmessung.

1.2 Ziele der Arbeit

Wie in den vorherigen Kapiteln erläutert, kann eine mechanische Bewertung des Transformatoraktivteils bisher nur durch eine offline Diagnose im Rahmen einer FRA-Messung durchgeführt werden. Dieser Ansatz setzt zum Abgleich Referenzmessungen (Fingerprints) voraus, mit denen aktuelle Messdaten verglichen werden können. Hinzu kommt, dass FRA-Messungen immer mit einem gewissen Aufwand verbunden sind, was prinzipiell dem Messaufbau geschuldet ist. Zu nennen ist hier zuerst die notwendige Freischaltung des Betriebsmittels. Des Weiteren sind aufwändige Vorbereitungen notwendig, wie beispielsweise die Demontage der angeschlossenen Zuleitungen, die Masseanbindung der Messpunkte an den Durchführungen, etc. Dem Aufwand entsprechend qualifiziert sich die FRA-Messung in erster Linie als Diagnosemessung, die entsprechend bedarfsorientiert eingesetzt wird. Eine kontinuierliche, betriebliche Überwachung des mechanischen Verhaltens und dessen Entwicklung über der Zeit bedarf neuer Verfahren.

Dieser Anforderung folgend widmet sich diese Arbeit dem Hauptziel, die Zustandsanalyse von Leistungstransformatoren anhand mechanischer Schwingungen im Betrieb anwendbar zu machen, so dass zum einen mechanische Veränderungen im Aktivteil, wie beispielsweise Einspannkräfte, und zum anderen unerwünschte überlagerte Gleichstromkomponenten mit dem Verfahren erkannt werden können. Dazu ist es zunächst notwendig ein geeignetes Messsystem zu entwickeln, mit dem Langzeitmessungen an Transformatoren durchgeführt werden können, um eine ausreichende Datenbasis von mechanischen Schwingungen und Betriebsgrößen zu erhalten. Diese Daten sind erforderlich, da im Vergleich zu den bisherigen Laboruntersuchungen aus der Literatur, siehe Kapitel 1.1.1, die zusätzlichen betrieblichen Einflussfaktoren auf das Schwingungsverhalten zu bestimmen sind. So können die Wechselwirkungen zwischen dem Laststrom, der (Öl-)Temperatur, sowie der Stufenschalterstellung und den mechanischen Schwingungen beschrieben werden. Damit wird das zu erwartende Schwingungsverhalten in den Betriebszuständen vorhersagbar und Abweichungen davon können im Sinne einer Betriebsmittelüberwachung erkannt und entsprechend diagnostisch weiterverwendet werden. Das ermöglicht zum einen eine kontinuierliche Bewertung des mechanischen Zustandes von Wicklungen und Aktivteil. Zum anderen wird damit auch ermöglicht, unerwünschte Effekte, erzeugt durch überlagerte Gleichströme durch die Transformatorwicklungen, zu erkennen. Hierbei gilt es wieder, neben der prinzipiellen Untersuchung unter Laborbedingungen auch die Anwendbarkeit sowie den potentiellen praktischen Nutzen des Verfahrens unter realistischen Bedingungen anhand von Feldmessungen an Leistungstransformatoren im Betrieb zu verifizieren.

1.3 Gliederung der Arbeit

Insgesamt ist die Arbeit in 6 Kapitel unterteilt. Eine Einleitung in das Thema und eine Übersicht über aktuelle Diagnose- und Monitoringverfahren werden in Kapitel 1 gegeben. Kapitel 2 ist in zwei Unterkapitel gegliedert. Der erste Teil beschreibt die physikalischen Grundlagen der magnetischen Kopplung im Transformator und daraus abgeleitet die Ursachen der mechanischen Schwingungen: die Magnetostriktion des geblechten Kerns und die stromabhängigen Schwingungen der Wicklungen. Die Funktionsweise der Magnetostriktion wird beleuchtet. Zusätzlich werden im zweiten Unterkapitel Sättigungseffekte behandelt und der Einfluss von Gleichströmen auf den magnetischen Arbeitspunkt wird prinzipiell erläutert.

Kapitel 3 betrachtet die mechanischen Schwingungen unter Leerlaufbedingungen anhand eines Laboraufbaus an einem Verteilnetztransformator. Dazu wird ein geeignetes Messsystem vorgestellt. Anhand verschiedener Messreihen wird betrachtet, wie sich verschiedene Einspannkräfte des Kerns auf das Schwingungsverhalten auswirken. Zusätzlich werden die mechanischen Schwingungen des Kerns mit jenen der Kesseloberfläche verglichen und die verschiedenen Kopplungspfade der Schwingung werden untersucht.

Kapitel 4 behandelt die Thematik, wie die Schwingungsmessung als Langzeitmessung im Rahmen eines Betriebsmittelmonitorings eingesetzt werend kann. Im ersten Schritt wird dazu ein Monitoringsystem zur Langzeiterfassung mechanischer Schwingungen an Leistungstransformatoren im Betrieb entwickelt. Die folgenden Untersuchungen stützen sich auf Messreihen an drei Leistungstransformatoren, die zu Beginn von Kapitel 4.2 eingeführt werden. Hierbei wird bewertet, welchen Einfluss die Sensorposition am Kessel auf die Schwingungsmessung hat. Danach werden die betrieblichen Einflussfaktoren bewertet: die Stufenschalterstellung, die Öltemperatur sowie der Laststrom. Im letzten Teil des Kapitels folgt eine praktische Anwendung der gewonnenen Erkenntnisse. Anhand des Transformators mit dem größten vorhandenen Datensatz wird eine Langzeitanalyse der mechanischen Schwingungen durchgeführt. Statistische Verfahren kommen zum Einsatz, um Änderungen im Schwingungsverhalten zu detektieren. Deren zeitliche Korrelation sowie deren Abhängigkeiten von Temperatur und Last werden diskutiert.

Kapitel 5 untersucht detailliert einen Sonderfall in der Betriebsführung von Transformatoren: den Einfluss parasitärer Gleichströme. Die bekannten Quellenarten von Gleichströmen werden genauer beschrieben und verglichen: Dies sind zum einen Kopplungen zwischen Hochspannungsgleichstromleitungen und AC-Systemen auf kurze Distanzen, wie sie bei hybriden AC-HGÜ Trassen vorgesehen sind.

Zum anderen werden natürliche Effekte untersucht sowie industrielle Ursachen von Gleichstromüberlagerungen Für Wechselwirkungen auf hybriden AC-HGÜ Trassen wird der Koppelmechanismus anhand eines physikalischen Models und einer Simulation der Migration von freien Ladungsträgern zwischen HGÜ– und AC-Freileitungen betrachtet. Die Auswirkungen von DC auf Transformatoren mit Kernen im Dreischenkelaufbau und Fünfschenkelaufbau werden untersucht. Betrachtet werden hierzu der Scheinleistungsbedarf der Betriebsmittel und die damit verbundenen Netzrückwirkungen durch harmonische Anteile in den Phasenströmen, sowie auf die mechanischen Schwingungen und den daraus resultierenden Luftschall bzw. die Geräusche. Der praktische Nutzen wird anhand von Feldmessungen bewertet.

Die Arbeit schließt in Kapitel 6 mit einer Zusammenfassung und einem Ausblick auf die zukünftige Forschung. Die Schwingungsanalyse wird anhand der gewonnenen Erkenntnisse hinsichtlich ihrer Eignung für die Diagnose und das Monitoring von Leistungstransformatoren bewertet. Die Möglichkeiten und die Grenzen der Technik werden dargelegt.

2 Grundlagen

2.1 Transformatoren

In der Energieübertragung dient der Transformator durch das Bereitstellen hoher Spannungen in erster Linie der Minimierung der Übertragungsverluste über lange AC-Verbindungen. Hinzu kommen noch verschiedene weitere Aufgaben, wie beispielsweise die Blindleistungskompensation und der Phasenschieberbetrieb zur Führung des Leistungsflusses entlang bestimmter Netzkorridore, sowie Transformatoren mit spezieller Isolationsauslegung für Konverter von Hochspannungsgleichstromübertragungssystemen (HGÜ-Systemen). Typischerweise kommen dreiphasige Netzkuppeltransformatoren zum Einsatz, bei denen die Wicklungen aller Phasen auf die einzelnen Schenkel eines Kerns gewickelt werden. Die Wicklungen der einzelnen Spannungsebenen sind im Sinne einer optimalen magnetischen Kopplung übereinander gestülpt, wobei der Unterspannungsseite die innere Wicklung mit dem kleinsten Radius darstellt. Alternativen stellen einphasige Transformatoren dar, bei denen in einem Kessel auf einem Kern nur Ober- und Unterspannung einer Phase sind. Auf die verschiedenen Kerndesigns wird in Kapitel 4.2 genauer eingegangen.

Im Folgenden werden die Grundlagen der magnetischen Kopplung eines induktiven Aufbaus erläutert und daraus die für die mechanischen Schwingungen relevanten Materialeigenschaften abgeleitet. Das physikalische Ersatzschaltbild des realen, einphasigen Übertragers dient als Ausgangspunkt dieser Betrachtung. Im Unterschied zum idealen Übertrager kann zum einen nicht die gesamte Leistung übertragen werden aufgrund von Verlusten in der Wicklung und im Kern, die anteilig zu Wirbelströmen und mechanischen Schwingungen im Kernblech führen. Zum anderen ist die Kopplung zwischen Primär- und Sekundärwicklung nicht vollständig, da Streuflüsse beider Wicklungen existieren, die sich nicht über den Kern schließen. Abbildung 2.1 zeigt schematisch den Aufbau des realen Übertragers. Die Widerstände $R_{1,2}$ repräsentieren die Verluste in den Wicklungsdrähten und im Kern. Schwarz strichliert sind die Hauptflüsse $\phi_{H1,2}$ eingezeichnet, welche die beiden Wicklungen durchfluten und damit die magnetische Kopplung herstellen. Hellgrau strichliert sind die Streuflüsse $\phi_{S1,2}$ markiert, die nicht zur magnetischen Kopplung beitragen.

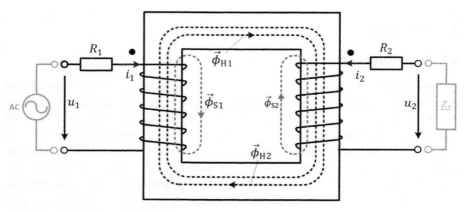

Abbildung 2.1   Realer Überträger mit Streuflüssen und Verlusten

Die Haupt- und Streuflüsse lassen sich mittels des Ampère'schen Gesetzes in Abhängigkeit der Wicklungsströme $i_{1,2}$, der Materialeigenschaften und der Geometrie
angeben als

$$\phi_{H1} = \frac{1}{R_{m,H1}} N_1 i_1, \quad \phi_{H2} = \frac{1}{R_{m,H2}} N_2 i_2 \tag{2.1}$$

$$\phi_{S1} = \frac{1}{R_{m,S1}} N_1 i_1, \quad \phi_{S2} = \frac{1}{R_{m,S2}} N_2 i_2 \tag{2.2}$$

$$R_m = \frac{l_m}{\mu_0 \mu_r A} \tag{2.3}$$

N Windungszahl der jeweiligen Wicklung
R_m magnetischer Widerstand des jeweiligen Flusspfades
l_m Länge des jeweiligen Flusspfades
A Querschnittsfläche des Eisenrings (konstant angenommen)

Der magnetische Widerstand R_m fasst in dieser Betrachtung die Materialkonstanten
und Geometriegrößen zusammen. Die Gesamtflüsse $\phi_{1,2}$, die jeweils eine der beiden
Wicklungen durchdringen ergeben sich aus der Bilanz gemäß [46]

$$\phi_1 = N_1 i_1 \left(\frac{1}{R_{m,H1}} + \frac{1}{R_{m,S1}} \right) + N_2 i_2 \frac{1}{R_{m,H2}} \tag{2.4}$$

$$\phi_2 = N_2 i_2 \left(\frac{1}{R_{m,H2}} + \frac{1}{R_{m,S2}} \right) + N_1 i_1 \frac{1}{R_{m,H1}} \tag{2.5}$$

Über das Induktionsgesetz werden die Flüsse mit den Klemmenspannungen verknüpft. Zusätzlich werden die Spannungsabfälle über die Wicklungswiderstände berücksichtigt. Unter der Annahme, dass die magnetischen Widerstände der Hauptflüsse identisch sind, ergibt sich aus den Gleichungen (2.4) und (2.5)

$$u_1 = R_1 i_1 + N_1^2 \left(\frac{1}{R_{m,H}} + \frac{1}{R_{m,S1}} \right) \frac{di_1}{dt} + N_1 N_2 \frac{1}{R_{m,H}} \frac{di_2}{dt} \qquad (2.6)$$

$$u_2 = R_2 i_2 + N_2^2 \left(\frac{1}{R_{m,H}} + \frac{1}{R_{m,S2}} \right) \frac{di_2}{dt} + N_1 N_2 \frac{1}{R_{m,H}} \frac{di_1}{dt} \qquad (2.7)$$

Die konstanten Faktoren können nun zu den Eigeninduktivitäten $L_{S1,2}$ und der Haupt-/Gegeninduktivität M zusammengefasst werden, welche die magnetische Kopplung der Windungen darstellt:

$$M = N_1 N_2 \frac{1}{R_{m,H}}, \qquad L_{1,2} = N_{1,2}^2 \frac{1}{R_{mS1,2}}, \qquad (2.8)$$

Die Hauptinduktivität umfasst dabei alle Kernabschnitte, die sowohl auf der Primär- als auch auf Sekundärseite vom Hauptfluss durchflossen werden. Die Eigeninduktivitäten sind gegeben durch die nicht gekoppelten Streuflüsse. Damit kann das elektrische Ersatzschaltbild (ESB) des Transformators erstellt werden, das in Abbildung 2.2 gegeben ist. Es besteht aus den Reaktanzen der Streu- und Hauptinduktivitäten ($\underline{X}_{1,2\sigma}$ bzw. $\underline{X}_{1,M}$), den ohmschen Widerständen, welche die Verluste abbilden und dem idealen Übertrager in der Mitte mit Übertragungsverhältnis $ü = \frac{N_1}{N_2}$.

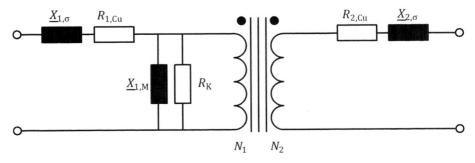

Abbildung 2.2   Einphasiges, elektrisches Ersatzschaltbild eines realen Transformators mit Streuflüssen und Verlusten

$\underline{X}_{1,2\sigma}$ stellen dabei die Reaktanzen der beiden Streuinduktivitäten $L_{S1,2}$ dar. Entsprechend ist $\underline{X}_{1,M}$ die Reaktanz des Hauptflusses M.

Die Verluste von Kern und Wicklung werden in diesem Ersatzschaltbild getrennt betrachtet. $R_{1,2,Cu}$ stellt die Verluste in der jeweiligen Wicklung dar. R_K repräsentiert die Verluste P_K im Kern. Die Trennung ist sinnvoll, da das ESB auch im Fehlerfall gültig ist: tritt auf der Sekundärseite an Wicklung N_2 ein Kurschluss auf, so findet die Kopplung der Wicklungen über Streuflüsse statt, nicht mehr über den Kern. Das ESB trägt diesem Rechnung, da im Kurzschlussfall $\underline{X}_{1,M}$ und R_K durch den idealen Übertrager kurzgeschlossen und nicht mehr wirksam sind.

Die Kernverluste P_K von Elektroblechen können mit Hilfe eines Epsteinrahmens ermittelt werden [47]. Es können zwei unterschiedliche Komponenten klassifiziert werden: Wirbelstromverluste P_W und Hystereseverluste P_H.

$$P_K = P_W + P_H \qquad (2.9)$$

Wirbelstromverluste verursachen eine Erwärmung des Kernmaterials abhängig vom spezifischen elektrischen Widerstand der Kernbleche und der geometrieabhängigen Induktionsschleife. Minimiert werden diese durch eine möglichst dünne Schichtdicke der einzelnen isolierten Bleche. Hystereseverluste entstehen durch die Auswirkungen eines externen magnetischen Feldes auf die ferromagnetischen Bleche. Ein Teil der Energie wird in mechanische Arbeit umgewandelt. Bei periodischer Anregung entstehen daraus die Schwingungen, die im folgenden Kapitel genauer untersucht werden. Der andere Teil wird aufgrund von Reibung in Wärme gewandelt.

Gleichung (2.10) ermöglicht die Abschätzung der Wirbelstromverluste P_W anhand einer empirisch ermittelten Formel [48]:

$$P_W = \frac{\left(\pi d f \hat{B}\right)^2}{6\rho D} = k_W\left(f\hat{B}\right)^2 \qquad (2.10)$$

P_W Wirbelstromverluste in W/kg
d Dicke des Blechs in m
f Frequenz des magnetischen Flusses in Hz
k_W Materialkonstante für Wirbelströme
$\hat{B}$ Amplitude des magnetischen Flusses in T
ρ spezifischer elektrischer Widerstand des Materials in $\Omega\cdot$m
D Dichte des Materials in kg/m³

Der Ansatz unterliegt der Annahme, dass der Skineffekt vernachlässigt werden kann und ein im Kernquerschnitt homogen verteiltes magnetisches Feld gegeben ist.

Die Wirbelstromverluste sind quadratisch abhängig von der Frequenz und der magnetischen Flussdichte. Eine Verlustminimierung ist neben einer Reduzierung der Blechdicke also nur über einen größeren Kernquerschnitt möglich. In der Praxis scheitert dieser Ansatz aufgrund der Mehrkosten und von Größenbeschränkungen für Transformatoren.

Die Hystereseverluste P_H sind Magnetisierungsverluste und auf die mechanische Arbeit zurück zu führen, die für das Drehen der Weiß'schen Bezirke und das Verschieben der Bloch-Wände benötigt wird, siehe nächstes Kapitel. Nach Charles Steinmetz steht eine empirisch entwickelte Formel zur Abschätzung der Hystereseverluste zur Verfügung [49]:

$$P_H = k_H f \hat{B}^{1,6} \qquad\qquad (2.11)$$

k_H materialspezifische Konstante für Hystereseverluste

Nebenbemerkung: In der Praxis entstehen aufgrund mehrerer Abweichungen von den angenommenen Idealbedingungen Fehler in der Berechnung. Beispielsweise ist die Flussdichte im gesamten Kernmaterial nicht konstant. Um alle Fehlerarten zusammenzufassen, wird ein weiterer Korrekturfaktor definiert, der häufig als *Building Factor* bezeichnet wird [50]. Mit ausreichender Erfahrung des Herstellers können die Gesamtverluste mit diesem ausreichend genau abgeschätzt werden.

2.1.1 Schwingungen des geblechten Kerns

Der Eisenkern eines Transformators besteht aus einzelnen Lagen Elektroblech, die dicht gepackt die magnetische Flussführung des Aktivteils darstellen. Die einzelnen Bleche bestehen typischerweise aus ferromagnetischen Materialien und haben eine Dicke von 180 μm – 300 μm [49]. Die verwendeten weichmagnetischen Bleche weisen eine möglichst geringe Remanenz auf. Die verbleibende Materialmagnetisierung nach dem Entfernen aller äußeren Magnetfelder ist daher gering.

Einzelne Bleche sind durch eine dünne Lackschicht gegeneinander isoliert, um Wirbelströme zu verhindern. Moderne Elektrobleche für Transformatoren sind kornorientiert und kalt gewalzt. Sie haben einen Kohlenstoffanteil von ca. 0,1% und einen Siliziumanteil von 0,7%-3%, um Wirbelströme innerhalb eines einzelnen Bleches zu minimieren. Je nach Ausführung kann das fertig gewalzte Blech noch durch eine Laseroberflächenbehandlung optimiert werden. Durch den Prozess werden die einzelnen Weiß'schen Bezirke kleiner.

Der Ferromagnetimus der Bleche kann als Kristalleigenschaft eines Atomkolletivs interpretiert werden. Jeder Weiß'sche Bezirk stellt in der Modellvorstellung ein zusammenhängendes Kollektiv mit eigener magnetischer Polarisation $\vec{I}_{mag}$ dar [51]. Ursprung dieser magnetischen Momente sind Elektronenspins [52]. Im Grundzustand bilden alle Bezirke in Summe ein makroskopisch unmagnetisches Gebilde. Wird jedoch eine äußere magnetische Feldstärke $\vec{H}$ angelegt, so richten sich die Bezirke entlang des externen Feldes aus, um den energetisch günstigsten Zustand zu erreichen. Die magnetische Flussdichte $\vec{B}$ bildet die Materialeigenschaften entweder durch deren spezifische Permeabilität μ_r ab oder durch die magnetische Polarisation $\vec{I}_{mag}$. Die Gleichungen (2.12)- (2.14) erläutern den Zusammenhang.

$$\vec{B} = \mu_0 \mu_r \vec{H} \qquad \qquad (2.12)$$

$$\vec{B} = \mu_0 \vec{H} + \vec{I}_{mag}(\vec{H}) \qquad \qquad (2.13)$$

$$\vec{I}_{mag} = \mu_0(\mu_r - 1)\vec{H} = \mu_0 \kappa \vec{H} = \mu_0 \vec{M} \qquad \qquad (2.14)$$

κ magnetische Suszeptibilität
$\vec{M}$ Magnetisierung

Die Ausrichtung entlang des externen Feldes kann durch zwei unterschiedliche Prozesse stattfinden. Zum einen durch Wandverschiebungen der Bloch-Wände oder durch Drehprozesse in der Kristallstruktur. In ferromagnetischen Materialien treten typischerweise beide Formen auf. Abbildung 2.3 zeigt eine Übersicht beider Vorgänge. In Abbildung 2.3 A) ist ein makroskopisch neutraler Kristallausschnitt dargestellt. Alle magnetischen Polarisationen superpositionieren sich zu Null. Abbildung 2.3 B) zeigt schematisch den Effekt der Wandverschiebung bei angelegtem externem Magnetfeld. Die Orientierung der Bezirke bzw. ihre Polarisationen ändern sich dabei nicht. Stattdessen werden Bezirke, die in gleicher Richtung polarisiert sind wie der externe Feldvektor, durch Verschiebungen der Blochwände größer. Der Vorgang ist in Abbildung 2.4 genauer dargestellt. Bei Drehprozessen, wie in Abbildung 2.3 D) dargestellt, bleibt die Kontur jedes einzelnen Bezirks erhalten: Die Bezirke richten sich unter Erhalt ihrer Form entlang dem externen Feld aus.

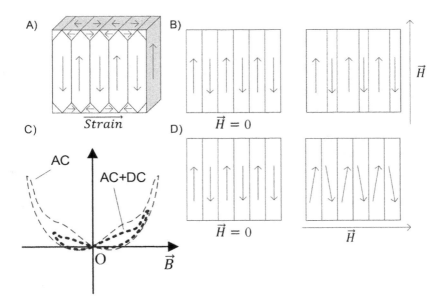

Abbildung 2.3   Magnetostriktion der Weiß'schen Bezirke [53]
A)   ferromagnetischer Kubus ohne externes H-Feld ist makroskopisch
       unmagnetisiert
B)   externes H-Feld in Längsrichtung führt zu Verschiebungen der Blochwände
C)   Butterfly-Kurve, die den Zusammenhang zwischen Flussdichte und
       Längenänderung in einer Raumrichtung angibt
D)   externes H-Feld in Querrichtung führt zu Drehungen der Bezirke

Allgemein können die Form und Größe der einzelnen Bezirke stark unterschiedlich sein. Durch die Ausrichtung der Bezirke verformt sich das Material durch Drehungen und Stauchungen bei gleichbleibendem Gesamtvolumen. Makroskopisch betrachtet resultiert daraus eine Verformung des Elektrobleches, die abhängig ist von der Orientierung des angelegten Feldes relativ zum Blech. Handelt es sich um ein angelegtes Wechselfeld, so entstehen periodische mechanische Verformungen. Abbildung 2.3 c) zeigt in in der AC-Kurve die Ausdehnung (engl. Strain) der Bleche in eine Kristallrichtung in Abhängigkeit von der magnetischen Flussdichte im Material gleicher Orientierung. Das Diagramm zeigt den Verlauf der Verformung unter der Annahme eines sinusförmigen externen Magnetfeldes mit konstanter Amplitude während einer Periode. Erkennbar ist, dass in einer magnetischen (und damit auch elektrischen) Periode zwei Maxima in der Ausdehnung auftreten. Die Grundfrequenz der mechanischen Verformung beträgt damit immer das Doppelte der magnetischen bzw. der elektrischen Frequenz. Die AC+DC-Kurve zeigt den Verlauf der Kristallausdehnung bei überlagertem Gleichstrom, siehe Kapitel 5.2.

Abbildung 2.4 zeigt detailliert den Prozess der Wandverschiebungen. Links ist ein Materialausschnitt dargestellt, der makroskopisch unmagnetisch ist, da sich alle Polarisationen in Summe aufheben, bzw. sich alle magnetischen Kreisfelder innerhalb des Materials über die Polarisationen der einzelnen Bezirke schließen können. Im rechten Bild liegt ein externes magnetisches Feld $\vec{H}$ an. In der Kristallstruktur kommt es zu einer Verschiebung der Wände. Bezirke, die in Richtung des externen Feldes ausgerichtet sind können sich dadurch vergrößern. Im vorliegenden Beispiel übernimmt der mit strichlierter Polarisation gekennzeichnete Bezirk in der Mitte des Materialausschnitts die Feldführung und nimmt daher an Größe zu [54]. Am Austritt des Feldes aus dem Material am linken Rand entsteht eine Treppenstruktur, da die Bezirke immer versucht sind, ein möglichst geringes Streufeld zu erzeugen, also möglichst die Flussführung im ferromagnetischen Material zu halten, welches den geringeren magnetischen Widerstand R_M aufweist. Dieser Vorgang kann durch die Reluktanzkraft beschrieben werden.

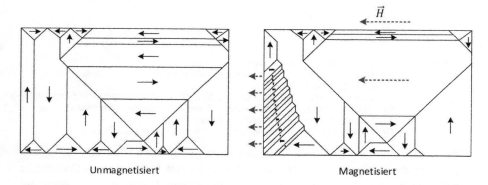

Unmagnetisiert   Magnetisiert

Abbildung 2.4   Wandverschiebungen der Weiß'schen Bezirke an einem Ferrosilizium Kristall, links: unmagnetisiert, rechts: magnetisiert durch äußeres H-Feld nach [54]

Da sowohl die Drehprozesse als auch die Wandverschiebungen nichtlinear von der Induktion abhängen, entstehen mechanische Oberschwingungen. Abbildung 2.5 zeigt die ersten drei harmonischen Anteile der Dehnung in einer Ausrichtung über der magnetischen Flussdichte. Die Flussdichte ist in dem Diagramm in Gauß angegeben. 10.000 Gauß entsprechen dabei 1 Tesla. Deutlich erkennbar ist das Auftreten der harmonischen Anteile mit signifikanten Pegeln. Mechanische Transformatorschwingungen ergeben daher immer ein spezifisches Frequenzspektrum statt nur der Grundfrequenz.

Zusammengenommen werden die Effekte der elastischen Längenänderung in eine Richtung als Magnetostriktion bezeichnet. Sie stellt die primäre Ursache der Transformatorgeräusche im Leerlauf dar [49]. Die Magnetostriktion regt als Quelle der Schwingungen den gesamten Kern an. Dessen mechanische Resonanzen beeinflussen zusätzlich das gesamte Schwingungsverhalten. Die in den späteren Kapiteln vorgestellten Messungen zeigen daher immer die Schwingung des gesamten Systems. Literaturwerte zeigen, dass die Amplituden von Resonanzfrequenzen um bis zum 2,5-fachen angehoben werden können [49]. Um die Geometrien des Kerns in der theoretischen Überlegung mit zu berücksichtigen, kann dieser dafür als Gebilde aus Masse mit Federeigenschaften betrachtet werden.

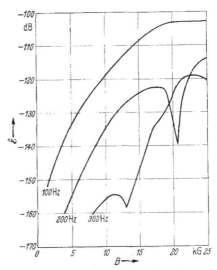

Abbildung 2.5 Ausdehnung $\hat{\varepsilon}$ über der Induktion der ersten drei Harmonischen bei kaltgewalztem Transformatorblech, aus [49]

Den Einfluss der Blechbehandlung während der Fertigung auf die Verluste zeigt ein Vergleich der gemessenen Verlustkurven von warm- und kaltgewalzten Blechen in Abbildung 2.6. Der Kurvenverlauf zeigt die Verluste über der magnetischen Flussdichte im Material. Zunächst werden warm- und kaltgewalzte Bleche in Längsrichtung betrachtet (Kurven a und b). Erkennbar ist, dass sich die Verluste durch das Kaltwalzverfahren (nach N Goss, 1934, USA) in etwa halbieren lassen. Daher wird für die Blechung von Transformatoraktivteilen nahezu ausschließlich kaltgewalztes Blech eingesetzt. Kurve c) illustriert den Nachteil dieser Bleche. Durch das Fertigungsverfahren entsteht eine starke Vorzugsrichtung für den magnetischen Fluss. In Querrichtung sind die Verluste wesentlich höher als bei warmgewalzten Blechen. Im Kern müssen daher insbesondere die Übergänge zwischen Jochen und Schenkeln beachtet werden, da hier für die Flussführung Querkomponenten unvermeidbar sind. In elektrischen Maschinen ist die Flussverteilung aufgrund des sich drehenden magnetischen Feldes nicht statisch, daher kommen hier warmgewalzte Bleche ohne Vorzugsrichtung zum Einsatz.

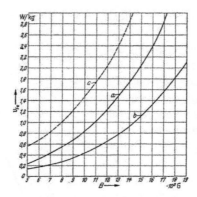

*Abbildung 2.6   Verluste von Elektroblechen über der magnetischen Flussdichte a) warmgewalzt,
Längsrichtung b) kaltgewalzt, Längsrichtung c) kaltgewalzt, Querrichtung [49]*

2.1.2 Beeinflussung durch Gleichstromkomponenten

Der Zustand der Sättigung von ferromagnetischen Kernblechen im Transformator
wird unter normalen Betriebsbedingungen im elektrischen Energienetz nicht erreicht.
Der effektive Querschnitt des Kerns ist so dimensioniert, dass die magnetische
Flussdichte immer unterhalb des sättigenden Bereichs bleibt. Abbildung 2.7 zeigt als
schwarze Kurve den Normalbetrieb. Angenommen sei zunächst eine sinusförmige
Spannungsquelle. Über das Induktionsgesetz, siehe Gleichung (2.15) kann durch
differenzieren der Spannung der magnetische Fluss ϕ, bzw. die magnetische Flussdichte B ermittelt werden. ϕ erreicht den Maximalwert im Arbeitspunkt A_1. Aus der B-
H-Kennlinie ergibt sich eine cosinusförmige magnetische Feldstärke H. Daraus kann
mit Gleichung (2.16) die Durchflutung Θ und damit der resultierende Strom I ermittelt
werden, der ebenfalls cosinusförmig ist.

$$u = -\iint \frac{dB}{dt}\, dA, \qquad B = \frac{\phi}{A} \tag{2.15}$$

$$H = \frac{N \cdot I}{l} = \frac{\Theta}{l} \tag{2.16}$$

l Länge der Wicklung
A Integrationsfläche, hier: Kernquerschnitt.

Abbildung 2.7 zeigt in grau das Verhalten des Kerns mit Gleichstrom. In der Wicklung
wird ein Gleichstrom I_{DC} dem Wechselstrom überlagert. I_{DC} erzeugt durch seine
Durchflutung einen Offset des magnetischen Feldes H. Dadurch wird das Kernmaterial entsprechend der Kennlinie vormagnetisiert. In dessen Folge verschiebt sich der
Arbeitspunkt in der B-H-Kennlinie aus dem Ursprung $B|_{H=0} = 0$ heraus.

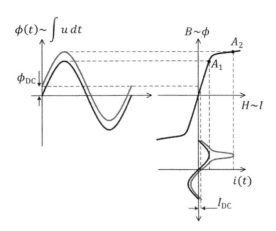

Abbildung 2.7   *schwarz: normaler AC- Betrieb ohne Gleichstromüberlagerung*
grau: ein durch DC erzeugter Offset im magnetischen Fluss verschiebt den
magnetischen Arbeitspunkt, was zu Sättigung in der positiven Halbschwingung
führt

Durch diese Verschiebung zeigt sich auch im magnetischen Fluss ϕ ein konstanter Offset. Die Superposition aus Wechsel- und Gleichfluss erreicht am oberen Arbeitspunkt A_2 den Bereich der Sättigung. Das Elektroblech ist voll aufmagnetisiert. Der zusätzliche magnetische Fluss kann daher nicht vom Material bereitgestellt werden, die Permeabilität sinkt auf $\mu_r = 1$. Die Wicklung kann ab diesem Zeitpunkt als Luftspule mit entsprechend geringer Induktivität betrachtet werden. Der zusätzliche magnetische Fluss muss durch das externe H-Feld kurzzeitig geliefert werden. Da nun $B = \mu_0 H$ gilt, steigt das magnetische Feld H stark an. Aufgrund des Ampère'schen Gesetzes ist damit auch ein Anstieg des Wechselstroms verbunden. Im weiteren Verlauf der Spannungsperiode sinkt der magnetische Fluss wieder ab. Wenn der Sättigungsbereich verlassen wird, sinkt auch der zusätzliche Strombedarf schnell. Der weitere Verlauf der Periode ist wieder cosinusförmig.

Der Gleichanteil im magnetischen Fluss führt gemäß der Butterfly-Kurve (siehe Abbildung 2.3 C, AC+DC-Kurve) zu unterschiedlichen Ausrichtungen der Weiß'schen Bezirke in beiden Halbwellen. Das bedeutet, dass die resultierende Längenänderung während der positiven Halbwelle größer ist als in der negativen Halbwelle, da in der positiven Halbwelle alle Bezirke ausgerichtet werden und in der negativen weniger als im reinen AC-Fall. Dadurch entstehen zwei unterschiedliche Amplitudenwerte bei gleicher anregender Frequenz.

Wird das resultierende Zeitsignal mittels einer Fourier-Reihe in den Frequenzbereich transformiert, entsteht ein zusätzlicher Frequenzanteil in der Magnetostriktion mit der halben Frequenz der mechanischen Grundfrequenz. Bei elektrischer Anregung mit $f_{el,N} = 50\,Hz$ entsteht dadurch neben der mechanischen Grundfrequenz $f_{mech,N} = 100\,Hz$ ein subharmonischer Anteil $f_{mech,sub} = f_{el,N} = 50\,Hz$. Neben den beiden mechanischen Anregungsfrequenzen $f_{mech,N}$ und $f_{mech,sub}$ entstehen weitere, ganzzahlige vielfache Harmonische beider Frequenzen. Das bedeutet, dass die im Normalbetrieb auftretenden mechanischen Frequenzen ($f_{mech} = 100\,Hz,\ 200\,Hz$, etc.) als gerade Vielfache von $f_{mech,sub}$ an Signalleistung gewinnen. Zusätzlich entstehen neue Frequenzanteile in Form der ungeraden Vielfachen von $f_{mech,sub}$, also $f_{mech} = 150\,Hz,\ 250\,Hz$, etc.

2.1.3 Schwingungen der Wicklungspakete und elektrodynamische Kräfte

Auch die Wicklungspakete schwingen im Betrieb von Transformatoren. Grund hierfür ist die Lorentzkraft, die sich auf die stromdurchflossenen Leiter im magnetischen Feld auswirkt. In der folgenden Herleitung werden die resultierenden Kräfte zweier übereinanderliegender Strom durchflossener Windungen betrachtet.

Die von jedem der Leiter eines Windungsabschnitts erzeugte magnetische Flussdichte B ist gegeben durch

$$\vec{B} = \frac{\mu_0 I}{2\pi r}\,\vec{e_s} \tag{2.17}$$

Sie nimmt mit dem Abstand zum Leiter ab. Auf den Leiter der andere Windung wirkt die Lorentzkraft, die sich aus dem Kreuzprodukt von Strom, Leitungsvektor und magnetischer Flussdichte berechnet:

$$\vec{F_L} = I\vec{le_1} \times \vec{B} \tag{2.18}$$

$\vec{le_1}$ Länge und Orientierung des Leiterabschnitts

$\vec{F_L}$ Vektor der Lorentzkraft

Aufgelöst und normiert auf die Leiterlänge ergibt sich der Zusammenhang nach Gleichung (2.19). Unter der Annahme, dass beide Leiter vom gleichen Strom durchflossen werden, ergibt sich eine quadratische Abhängigkeit vom Strom I.

$$\frac{\vec{F_L}}{l} = \frac{\mu_0 I_1 I_2}{2\pi r}\,\vec{e_1} \times \vec{e_s} \xrightarrow{I_1 = I_2} |F_L| \propto I^2 \tag{2.19}$$

Wird ein sinusförmiger Quellenstrom angenommen, so ergibt sich der zeitliche Verlauf der Lorentzkraft gemäß

$$|F_L| \propto \hat{\imath}^2 \cdot \frac{1 - \cos(2\omega t)}{2}, \text{ wenn } i(t) = \hat{\imath} \cdot \sin(\omega t) \qquad (2.20)$$

Erkennbar ist die Frequenzverdopplung innerhalb der Cosinus-Funktion. In jeder elektrischen Periode werden die Wicklungpakete zweimal gleichförmig in radialer Richtung auseinandergezogen. Die resultierende mechanische Schwingung hat daher wie bei der Magnetostriktion die doppelte Frequenz der anregenden Netzfrequenz.

Aufgrund der Stromabhängigkeit ist die Signalleistung der Wicklungsschwingung quadratisch von der Last abhängig. Die Magnetostriktion ist dagegen lastunabhängig. Beide Effekte überlagern sich im Betrieb. Die Magnetostriktion kann daher am besten im Leerlauf ermittelt werden, wenn die Ströme minimal sind und nur die Magnetisierung des Transformators bereitstellen müssen.

2.2 Messverfahren

Für die Messung mechanischer Schwingungen gibt es verschiedene Messverfahren, die im Folgenden erläutert werden. Eine häufig verwendete Methode ist die Messung der Schwingungen am Kessel mittels Beschleunigungssensoren. Das Verfahren ist einfach umsetzbar und die Sensoren können im Normalfall auch bei Transformatoren im Betrieb angebracht werden. Dieses Verfahren wird daher in dieser Arbeit für die Messungen in Umspannanlagen aber auch für Prüffeldmessungen eingesetzt.

2.2.1 Beschleunigungsmessung

Ein übliches Messverfahren für mechanische Schwingungen ist die Messung der Beschleunigung auf schwingenden Flächen. Typischerweise werden dafür piezoelektrische Beschleunigungssensoren eingesetzt. Bekannt sind diese Sensoren in der Transformatordiagnostik beispielsweise im Bereich der akustischen Teilentladungsmessung. Allerdings werden dafür Sensoren im Ultraschallbereich eingesetzt [21].

Der prinzipielle Aufbau eines eindimensionalen Beschleunigungssensors ist in Abbildung 2.8 dargestellt. Der Funktionsteil des Sensors besteht aus einer seismischen Masse an seinem freien, oberen Ende und einem piezoelektrischen Plättchen, das von zwei Kontakten umschlossen ist. Nicht dargestellt sind Gehäuse etc. Der Sensor wird mit einer Referenzfläche unelastisch verbunden, so dass jede Bewegung der Fläche direkt auf den Sensor wirken kann.

Wird die Referenzfläche in Bewegung versetzt, beispielsweise nach oben, so wird der elektrische Kontakt 2 gegen das piezoelektrische Material gedrückt, da die seismische Masse aufgrund ihrer Massenträgheit verhindert, dass der gesamte Sensor mit der Fläche mitschwingt. Der obere Teil des Sensors kann daher als zunächst starr angenommen werden. Dadurch wirkt die Normalkraft $\vec{F}$ einen Druck auf das piezoelektrische Material aus. Im Material findet eine Ladungsträgertrennung statt, die zu einer Potentialdifferenz zwischen den beiden elektrischen Kontakten 1 und 2 führt, welche proportional zur verursachenden Kraft und somit auch proportional zur Beschleunigung $\vec{a}$ ist. Da die seismische Masse bekannt ist, kann $\vec{a}$ aus U_{piezo} berechnet werden.

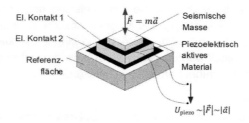

Abbildung 2.8   Arbeitsweise und prinzipieller Aufbau eines eindimensionalen piezoelektrischen Beschleunigungssensors

Die Spannung hängt auch ab von der Kapazität C_0 zwischen den elektrischen Kontakten, von der Streukapazität C_S des Sensors und vom Konvertierungsfaktor k, der angibt, wie viel Ladungsträgerpaare im piezoelektrischen Material entstehen können:

$$|U_{\text{piezo}}| = \frac{Q}{C} = k\,\frac{m\vec{a}}{C_0 + C_s}\tag{2.21}$$

Aufgrund der wenigen generierten Ladungsträger kann das Piezomaterial nicht als stabile Quelle mit eingeprägter Spannung betrachtet werden. In der Praxis wird daher in den Sensor eine Vorverstärkung eingebaut.

Typischerweise werden für die Verstärkung Sperrschicht-Feldeffekttransistoren (JFET-Transistoren) eingesetzt, die bei niederfrequenten Anwendungen weniger Rauschen als Bipolartransistoren erzeugen und sich insbesondere für hochohmige Quellen eignen [55].

Die für die Schwingungsmessung geeigneten Sensoren müssen eine möglichst hohe Empfindlichkeit im typischen Frequenzbereich mechanischer Schwingungen aufweisen. Die Erfahrungswerte dieser Arbeit zeigen, dass eine Bandbreite bis etwa 1 kHz ausreichend ist, da höhere Frequenzanteile in der Praxis kaum vorkommen, siehe auch Kapitel 4. Als Sensoren kommen daher beispielsweise konventionelle Tonabnehmer in Betracht, die typischerweise eine Bandbreite von 20 kHz aufweisen.

Für die folgenden Untersuchungen werden immer eindimensionale Sensoren verwendet, welche die Schwingungskomponenten orthogonal zur Referenzfläche aufnehmen, was der Kesseloberfläche entspricht. Um Messfehler zu vermeiden, werden nur solche Sensortypen eingesetzt, die keinen signifikanten Temperaturdrift aufweisen. Gleiches gilt für die nachgeschaltete Verstärkerelektronik.

2.2.2 Alternative Messverfahren

Für die Schwingungsmessung im Kessel können andere Messverfahren angewendet werden. Vorgestellt werden hier die Messung der Druckänderung im flüssigen Öl mittels eines piezoelektrischen Drucksensors und die Messung der lokalen Verbiegung an mechanischen Strukturen über Biegesensoren.

Da sich die mechanischen Schwingungen des Aktivteils nahezu ungedämpft auf das Öl übertragen ist es naheliegend, die Messung direkt im Öl durchzuführen [56]. Dadurch werden die Einflüsse des Kessels aus dem Signalpfad herausgenommen. Zu nennen sind hier die Eigenmoden des Kessels und die Bedämpfung der mechanischen Oberflächenschwingungen der Kesselwand durch Verstrebungen und Versteifungen, etc. Da der Kessel vakuumfest ausgelegt werden muss, werden entsprechend viele solcher Kesselversteifungen bei Leistungstransformatoren eingesetzt.

Die für die Messung direkt in Öl eingesetzte Sensorik ist ähnlich dem Beschleunigungssensor aufgebaut, benötigt aber keine seismische Masse. Abbildung 2.9 zeigt den schematischen Aufbau eines Drucksensors für die Messung in Flüssigkeiten. Das piezoelektrische Material kann verschiedene Formen haben.

Das Kugeldesign ist hier gewählt, um eine möglichst isotrope Empfindlichkeit zu ermöglichen. Wandert eine Druckwelle durch das Öl kann für niedrige Frequenzen vereinfachend angenommen werden, dass der Druck auf der gesamten Kugeloberfläche des Sensors gleich ist.

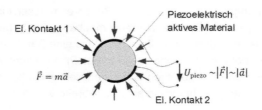

Abbildung 2.9 *Arbeitsweise und prinzipieller Aufbau eines piezoelektrischen Drucksensors für die Messung direkt in Fluiden*

Durch die mechanische Spannung im Sensormaterial entstehen wie beim Beschleunigungssensor Ladungsträgerpaare, die durch die Kontakte 1 und 2 abgegriffen werden können. Es bildet sich ein elektrisches Potential zwischen beiden Klemmen aus. Wie bei piezoelektrischen Beschleunigungssensoren muss die Spannung hochohmig abgegriffen und verstärkt werden.

In der Praxis sind Messungen mit solchen Sensoren aufwändig. Der Sensor, bzw. die Sensorummantelung muss öl- und temperaturstabil bis zu 100°C sein. Er muss über eine entsprechende Mechanik verfügen, damit er über Flachkeilschieber in den Transformator eingebracht werden kann, siehe Abbildung 2.10 [57].

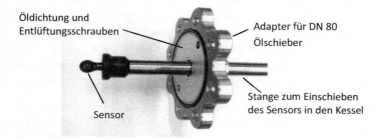

Abbildung 2.10 *Prototyp eines Sensorsystems zur Vermessung der mechanischen Schwingungen im Transformatorkessel in Öl*

Damit der Sensor in den Kessel ragt und nicht nur im Flanschrohr verbleibt, wird ein verschiebbares Gestänge eigesetzt. Bisher haben diese Sensorentypen das Prototypenstadium nicht verlassen. Aufgrund des hohen Fertigungsaufwandes und der Kosten macht es bei diesen Sensoren Sinn, möglichst breitbandig bis in den Ultraschallbereich messen zu können, damit der Sensor gegebenenfalls auch zur akustischen Messung von Teilentladungen eingesetzt werden kann.

Eine weitere Möglichkeit für die Messung lokaler Schwingungen ist der Einsatz von Dehnungsmessstreifen. Mit diesen Messstreifen können Relativbewegungen zwischen zwei sich zueinander bewegenden Punkten ermittelt werden. Für potentialfreie Anwendungen stehen optische Sensoren zur Verfügung, die meist interferometrisch arbeiten [58]. Da die Methode nur lokal messen kann und somit nur selektiv arbeitet, wird sie für Monitoringzwecke in dieser Arbeit nicht verwendet.

2.2.3 Messung der Transformatorengeräusche
Bei den in dieser Arbeit betrachteten Öltransformatoren ist davon auszugehen, dass die Kernschwingungen nahezu ungedämpft über das Öl und kraftschlüssige Verbindungen vom Aktivteil an den Kessel übertragen und von diesem als Luftschall in Form longitudinaler Wellen abgestrahlt werden [56].

Die Abstrahlcharakteristik der Geräusche vom Kessel hängt von verschiedenen physikalischen Bedingungen ab. Zu nennen sind das Verhältnis zwischen dem Umfang der abstrahlenden Struktur (hier dem Kessel) und der Wellenlänge der Schallwelle in Luft. Beide Faktoren werden häufig zu einem dimensionslosen Korrekturfaktor zusammengefasst, der relativen Strahlungsleistung N_{rel}. Die relative Strahlungsleistung dient als Maß für das Abstrahlvermögen einer Struktur, hier des Kessels, und kann allgemein angegeben werden mit [49]:

$$L_{\mathrm{p}} = 20 \log(K f y \sqrt{N_{\mathrm{rel}}}) \qquad (2.22)$$

L_{p} Schalldruckpegel
K konstanter Korrekturfaktor
f Frequenz
y Amplitude
N_{rel} relative Strahlungsleistung

Erkennbar ist, dass die Schallleistung mit der Frequenz logarithmisch zunimmt. Die Harmonischen werden daher besser abgestrahlt als die niedrigere Grundfrequenz. Die Geräuschmessung nach Norm [53] erfolgt im Prüffeld mit einem kalibrierten Mikrofon, das in festem Abstand zum Prüfling und bei definierter Höhe den Schalldruck misst.

Dabei werden keine Einzelmessungen betrachtet, sondern es findet eine Mittelwertbildung aus einem Umlauf um den Transformator bei konstantem Abstand und konstanter Höhe statt. Aus dem Schalldruckpegel L_{P} und dem bekannten Abstand und der sich daraus ergebenden umschließenden Hüllfläche kann als abgeleitete Größe die abgestrahlte Schallleistung L_{W} berechnet werden.

$$L_P = 10 \, \log\left(\frac{p^2}{p_0{}^2}\right) \tag{2.23}$$

$$L_W = 10 \, \log\left(\frac{P_{akusik}}{P_0}\right), P_{akustik} = p v A_L \tag{2.24}$$

L_P Schalldruckpegel in dB
L_W Schallleistungspegel in dB
p gemessener, mittlerer Schalldruck
p_0 menschliche Hörgrenze bei 1 kHz, entspricht 20 µPa
v Schallschnelle
A_L Hüllfläche
P_0 Bezugswert für Luftschall (1 pW)

Um das subjektive menschliche Hörempfinden zu berücksichtigen, findet eine frequenzabhängige Filterung der Messungen statt. Um die *gehörrichtige Lautstärke* oder *Lautheit* (engl. Loudness) abzubilden, werden die Messungen mit einem empirisch ermittelten a-Filter befiltert [59]. Die Filterfunktion entspricht im Wesentlichen einer Parabel, das Maximum liegt bei 2 kHz mit einem Verstärkungsfaktor von 3 dB. Dieser Frequenzbereich wird also im Vergleich zu anderen Frequenzanteilen lauter wahrgenommen, als er tatsächlich ist. Alle anderen Frequenzen weisen einen stark abfallenden Pegel auf. Im Bereich der Transformatorgeräusche von 50 Hz (bei Gleichstromüberlagerung) bis ca. 1 kHz liegt die Filterwirkung zwischen -30 dB und 0 dB.

Bei der Geräuschmessung wird der Transformator dabei im Leerlauf betrieben [53]. Gemessen werden daher Geräusche, die durch Magnetostriktion hervorgerufen werden, also deren Ursache in den Schwingungen des Elektroblechs liegen, siehe Kapitel 2.1.1. Die Leerlaufgeräusche liegen für dreiphasige ölisolierte Leistungstransformatoren der Klasse 300 MVA bis zu 800 MVA im Bereich von ca. 87 dBA bis 94 dBA für 50 Hz Systeme und im Bereich von 93 dBA bis 98 dBA für 60 Hz [60]. Einphasige Systeme liegen in einem vergleichbaren Bereich.

3 Mechanische Schwingungen des Kerns

Mechanische Schwingungen werden durch die Magnetostriktion im gesamten geblechten Kern erzeugt. Resultierend verformt sich das gesamte Aktivteil abhängig
von den magnetischen Flussdichten in Jochen und Schenkeln sowie den mechanischen Verspannungen, welche die Bewegung minimieren und den Kern. Das Gesamtgebilde schwingt abhängig von diesen beiden Faktoren. Daher ist es naheliegend, die Schwingungsmessung als Indikator heranzuziehen, um den Zustand des
Kerns und dessen mechanische Einspannkräfte zu diagnostizieren.

3.1 Laboraufbau

Als Untersuchungsobjekt dient ein kleiner, modifizierter 7,5 kV / 400 V 3-Schenkel-
verteiltransformator vom Typ Yy0, mit Nennspannung 6 kV (Oberspannung OS) und
Unterspannung (US) 400 V. Direkt auf dem Joch des Aktivteils sind zwei Körperschallsensoren angebracht, siehe Abbildung 3.1, links. Sensor S_V befindet sich in der
Mitte des Jochs, Sensor S_W über dem äußeren Schenkel von Phase W. Auf der Kesselwand ist ein dritter Sensor angebracht (S_{ext}). Dieser repräsentiert in diesem Versuch eine typische externe Messposition, wie sie beim Monitoring von Transformatoren im Betrieb verwendet werden kann. Der Transformator wird über seine
Oberspannungswicklung an eine variable dreiphasige Spannungsquelle (0 – 7 kV)
angeschlossen und unterspannungsseitig im Leerlauf betrieben. Somit fließen nur
die geringen Magnetisierungsströme I_{mag}. Daher können für die Untersuchung die
Einflüsse der Wicklungsschwingungen vernachlässigt werden.

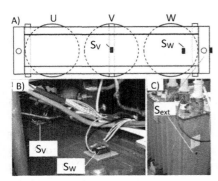

Abbildung 3.1 A), B): Laboraufbau mit zwei Sensoren direkt auf dem Kern (S_V, S_W)
C): externer Sensor auf der Kesselwand (S_{ext})
eines modifizierten Yy0 Verteiltransformators
rechts: Seitenansicht des Aktivteils mit Holzrahmen zur Fixierung des Kerns und
4 Querbolzen mit Muttern zum Einstellen der Einspannkräfte
(siehe obere und untere Ecken)

Das gesamte Aktivteil ist an seinem äußeren Rahmen mit mehreren Gewindebolzen mechanisch verspannt, siehe Abbildung 3.1, rechts. Die Einspannkräfte können über deren Anzugsmomente verändert werden. Für die Versuche werden zunächst alle Anzugsmomente am Aktivteil eingestellt. Anschließend wird das Aktivteil wieder in den Kessel eingesetzt, Vakuum wird gezogen und der Transformator wird mit Mineralöl befüllt. Über eine externe regelbare dreiphasige Spannungsquelle wird der Testtransformator unterschiedlich magnetisiert. Der Ablauf wird für verschiedene Einspannkräfte wiederholt, die Messungen finden bei Raumtemperatur statt.

3.2 Schwingungsverhalten bei verschiedenen Einspannkräften

Für die Untersuchung werden drei verschiedene Einspannkräfte verwendet. Die Originalverspannung, eine vollständige Lockerung (0 Nm) und eine Variante mit fest angezogenem Kern (45 Nm). Tabelle 3.1 zeigt die verwendeten Anzugsmomente. Betrachtet wird die mechanische Grundfrequenz $f_{\text{mech}} = 100\,\text{Hz}$ bei verschiedenen Erregerspannungen aller Messpunkte. Abbildung 3.2 zeigt die gemessenen Signalleistungen der Grundschwingung an den drei Messpunkten über der angelegten Spannung. Im Originalzustand ist die Schwingung am äußeren Schenkel (S_W) am größten. Gleiches gilt für Versuchsreihe 2 mit einem vollständig gelockerten Kern. Bei hohen Einspannkräften in Versuchsreihe 3 ist die Signalleistung von S_W insgesamt am kleinsten. Die Messposition über dem äußeren Schenkel befindet sich direkt neben einem der fixierenden Querbolzen. Daher sind die Einspannkräfte an dieser Stelle größer als über der mittleren Phase und die Schwingung wird daher stärker bedämpft. Die Schwingungen an S_W zeigen in allen Versuchsreihen eine nichtlineare Abhängigkeit zur Versorgungsspannung bzw. der Magnetisierung des Kerns, was zu einem negativen Signalleistungsgradienten bei Spannungen über 5,5 kV führt. Eine Erklärung hierfür können Einflüsse durch Eigenmoden des Aufbaus sein, die durch die geometrischen Abmessungen entstehen (vgl. Kapitel 2.1.1) und sich bei zunehmender Magnetisierung verändern.

Wie die Messungen an Position S_V über dem mittleren Schenkel zeigen, ist das Schwingungsverhalten der Versuchsreihe 1 im Originalzustand und fehlender Verspannung (Versuchsreihe 2) sehr ähnlich. Grund hierfür ist, dass sich an dieser Messstelle die Einspannkraft der beiden Szenarien nur wenig ändert. Aufgrund des größeren Abstands zwischen den Querbolzen und S_V und der geringen Veränderung des Anzugsmoments sind die lokalen Einspannkräfte in beiden Versuchsreihen daher sehr ähnlich. Bei maximaler Verspannung in Versuchsreihe 3 führt das hohe Drehmoment dann zu einer messbaren Verringerung der Signalleistung auch an Position S_V.

Die Signalleistung auf dem Kessel S_{ext} ist mit den Signalverläufen der inneren Sensoren nicht direkt vergleichbar. Sie ist in Versuchsreihe 2 bei fehlender Verspannung am geringsten und steigt mit der Zunahme der Einspannkräfte an. Der Grund hierfür ist eine kraftschlüssige Verbindung, da der gesamte Kern am Transformatordeckel aufgehängt ist. Die mechanische Kopplung über diesen Pfad nimmt mit steigender Verspannung zu. Daher werden die Schwingungen nicht nur über das Öl, sondern auch über die Struktur vom Kern auf Deckel und Kessel übertragen. Dieser Ausbreitungspfad ist im vorliegenden Fall dominierend.

Tabelle 3.1   Anzugsmomente der Gewindebolzen

Versuchs-reihe	Anzugsmoment / Nm
1 (original)	14
2	0
3	45

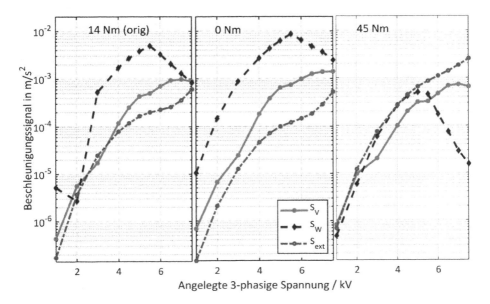

Abbildung 3.2   Beschleunigungswerte der mechanischen Grundfrequenz $f_{mech} = 100\,Hz$ bei verschiedenen Einspannkräften des Kerns, gemessen direkt auf dem Aktivteil (S_V, S_W) und auf der Kesselwand (S_{ext})

3.3 Zusammenfassung und Bewertung

Wie die Messreihe zeigt, führen alle betrachteten mechanischen Manipulationen des Aktivteils zu einem veränderten Schwingungsverhalten des Kerns und der Schwingungen auf dem Kessel. Daher kann das Messverfahren prinzipiell als geeignet betrachtet werden, mechanische Änderungen innerhalb des Transformators zu detektieren. Ein Vergleich verschiedener Abschnitte des Aktivteils untereinander oder mit einer Messung auf dem Kessel zeigt, dass bereits bei dem betrachteten kleinen Verteiltransformator signifikante Unterschiede zwischen den mechanischen Schwingungen einzelner Kernteile und dem Kessel bestehen.

Das mechanische Gesamtgebilde kann abhängig von magnetischer Anregung und der Verspannung in verschiedenen Eigenmoden schwingen, die analytisch oder im Modell nur mit hohem Aufwand ermittelt werden können [61], [62], [63]. Häufig ist eine umfassende finite Elemente Simulation notwendig, um die aus der Magnetostriktion resultierende periodische Deformation des Aktivteils nachzubilden [64], [65], [66]. Daher ist eine quantitative Bewertung der gemessenen Schwingungen schwierig. Der hierfür notwendige Mehraufwand für die individuelle Modellierung und Simulation jedes einzelnen Leistungstransformators scheint wenig praktikabel. Geeigneter erscheint die Implementierung der Schwingungsanalyse in Form eines kontinuierlichen Monitorings, das Änderungen im Schwingungsverhalten über der Zeit erkennen kann. Der Ansatz wird im nächsten Kapitel vorgestellt.

4 Monitoring von mechanischen Schwingungen

Wie die Messreihenauswertung in Kapitel 3 zeigt, können mechanische Veränderungen am Aktivteil durch vergleichende Messverfahren der Schwingungen unter Laborbedingungen am leerlaufenden Transformator festgestellt werden. Wie und unter welchen Voraussetzungen diese Methode auch bei Leistungstransformatoren im Betrieb möglich ist, wird in diesem Kapitel untersucht.

4.1 Messsystem zur kontinuierlichen Schwingungsmessung

Für die durchgeführten Langzeitmessungen dieser Arbeit wurde ein eigens für diesen Zweck entwickeltes System verwendet. Abbildung 4.1 zeigt das Blockschaltbild des prinzipiellen Aufbaus für kontinuierliche Schwingungsmessungen (Kesselmessung) an einem Transformator.

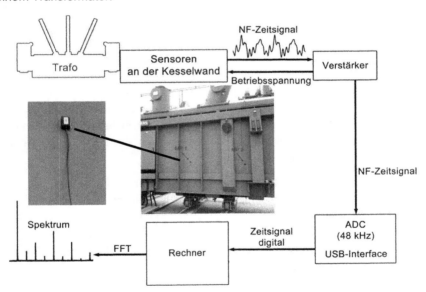

Abbildung 4.1 Beispiel einer Messinstallation mit Beschleunigungssensoren am Kessel (Feldmessung vgl. Kapitel 4.3)

Die Sensoren werden auf der Kesselwand fixiert. Dazu wird jeder Sensor auf eine Trägerplatte aufgebracht, die dann über eine Zweikomponentenmasse kraftschlüssig auf dem Kessel aufgeklebt wird. Jeder Sensor wird an einem Verstärker betrieben, der zum einen die Versorgung des aktiven Sensors bereitstellt und zum anderen das elektrische Signal für die Übertragung über die Messkabel zusätzlich verstärkt.

Die analogen Signale werden in einem analog-digital Konverter (ADC) mit 48 kSamples/s und einer vertikalen Auflösung von 8 Bit gesampelt. Für eine Einzelmessung werden Sensorsignale für einige Sekunden aufgezeichnet und das Zeitsignal mittels Fast-Fourier-Transformation (FFT) in den Frequenzbereich überführt und gespeichert. Um das Frequenzverhalten der mechanischen Schwingung während des Betriebs verfolgen zu können, finden in festen Intervallen (typischerweise alle 5 Minuten) Messungen statt. Diese können für die Auswertung mit den Betriebsdaten des Transformators (Last, Temperatur, Stufenschalterstellung) korreliert werden.

4.2 Langzeitmessungen an Leistungstransformatoren

Um das Schwingungsmonitoring an Leistungstransformatoren und die beeinflussenden Faktoren aussagekräftig beurteilen zu können, ist eine möglichst große Datenbasis wünschenswert. Dafür wurden Langzeitmessungen an mehreren Leistungstransformatoren durchgeführt. Untersucht werden drei verschiedene Typen. Ein 3-schenkeliger Maschinentransformator kleiner Leistung, ein 5-schenkeliger Maschinentransformator großer Leistung und ein Netzkuppeltransformator, ebenfalls mit 5-Schenkelkerndesign. Die weiteren Details der Transformatoren werden in den folgenden Kapiteln vorgestellt. Für die Bewertung der Schwingungsmessungen sind weitere Betriebsparameter notwendig, die ebenfalls erfasst wurden. Zu nennen sind hier der Temperaturverlauf des Öls und der Laststrom über der Zeit. Zunächst werden die einzelnen Transformatoren und die Messreihen in den Unterkapiteln von 4.2 vorgestellt. In den darauffolgenden Kapiteln werden die Betriebsdaten mit dem Schwingungsverhalten korreliert.

4.2.1 3-Schenkel 125 MVA Maschinentransformator

Bei dem betrachteten Maschinentransformator handelt es sich um einen Yd5 3-Schenkeltransformator, Baujahr 1965, der an einem kleinen Steinkohleblock mit 110 MW, 110 kV / 20 kV elektrischer Leistung betrieben wird. Der Transformator wird im Betrieb durch Ölpumpen und Wärmetauscher mit Lüftern aktiv gekühlt. Das Kraftwerk wird bedarfsmäßig eingesetzt, ist also nicht dauerhaft am Netz und wird auch nicht bei konstanter Wirkleistungseinspeisung betrieben. An dem Transformator wurden durch einen Beschleunigungssensor am Kessel die mechanische Schwingung in festen Intervallen aufgezeichnet. Die Signale wurden alle fünf Minuten für ca. 3 Sekunden mit 44,1 kSamples / s abgetastet. Die ermittelten Frequenzanteile können mit Betriebsdaten aus dem Kraftwerk korreliert werden. Zur Verfügung stehen der Laststrom, die Öltemperatur (gemessen in einer Temperaturtasche unter dem Deckel des Transformators) und die Umgebungstemperatur, die direkt neben dem Transformator gemessen wurde.

Abbildung 4.2 zeigt beispielhaft den zeitlichen Verlauf der Schwingungen, Temperaturen und des Laststroms über einen Zeitraum von 4 Tagen. Zu Beginn der Aufzeichnung wird der Transformator zugeschaltet, vor diesem Zeitpunkt ist dieser durch einen Leistungsschalter vom Netz und niederspannungsseitig durch einen Generatorschalter getrennt. Dargestellt sind die unterschiedlichen Frequenzanteile der Schwingungen bis zur sechsten Harmonischen (600 Hz). Signalleistungen höherer Frequenz sind gering und werden daher vernachlässigt. Deutlich erkennbar ist ein Einschwingvorgang nach dem Zuschalten des Transformators am ersten Tag. Die gezeigten Frequenzanteile sind als quadratische Signalleistung der gemessenen Beschleunigung abgebildet, da diese quadratischen Anteile aufsummiert auch dem Quadrat der gesamten Signalleistung entsprechen und so eine Bilanzierung ermöglicht wird.

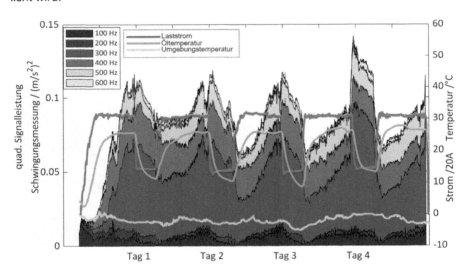

Abbildung 4.2   Zeitlicher Verlauf der mechanischen Schwingungen, des Laststroms und der Öl-
bzw. Umgebungstemperatur über 4 Tage nach einem Einschaltvorgang

Einschaltvorgang:
In der ersten Zeit nach dem Einschaltvorgang wird das Verhalten des Kerns zunächst durch Remanenzeffekte bestimmt. Da der Phasenwinkel während des Ausschaltvorgangs im Allgemeinen nicht Null ist, ergibt sich Aufgrund der Hysteresekennlinie eine Restmagnetisierung der Kernabschnitte. Diese kann zwischen zwei Ausschaltvorgängen variieren. Abbildung 4.3 zeigt das Frequenzverhalten der mechanischen Schwingungen gemittelt über alle aufgezeichneten Einschaltvorgänge.

Erkennbar ist, dass in den ersten drei Stunden im Wesentlichen nur die Grundfrequenz (100 Hz) vorhanden ist. Nach diesem Zeitpunkt nimmt die gesamte Signalleistung ca. um den Faktor 6 zu, wobei die harmonischen Anteile den wesentlichen Anteil
der Signalleistung ausmachen. Die Signalleistung der Grundfrequenz sinkt tendenziell in dieser Zeit ab. Um im Folgenden nur das eingeschwungene betriebliche Verhalten der Transformatoren zu betrachten, werden die Einschwingvorgänge für die
weiteren Betrachtungen explizit ausgeschlossen. Es werden nur Messwerte betrachtet, die mindestens 10 Stunden nach einem Einschaltvorgang aufgezeichnet wurden.
Grund hierfür ist, dass im normalen Betrieb von Transformatoren Ein- und Ausschalt-
vorgänge eher selten auftreten. Die Mehrzahl der Netzkuppeltransformatoren ist dauerhaft im Betrieb. Effekte wie die Remanenz spielen daher keine Rolle.

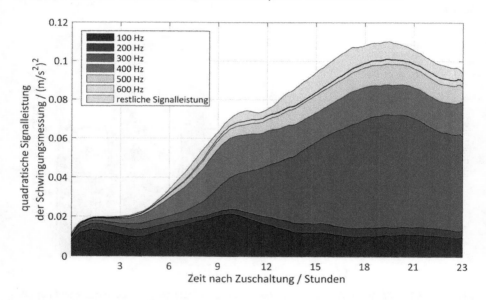

*Abbildung 4.3   Einschwingverhalten der mechanischen Frequenzkomponenten nach dem Ein-
schalten; Gemittelte Darstellung über alle Einschaltvorgänge (bei Nennlast)*

Wie in Abbildung 4.2 erkennbar ist, wird der Transformator nicht bei konstanter
Wirkleistung betrieben, stattdessen speist das kleine Kraftwerk bedarfsmäßig
Wirkleistung ins Netz ein, was zu einer entsprechenden Volatilität des Laststromes
führt. Um die folgenden Betrachtung übersichtlicher zu gestalten werden drei Lastbereiche eingeführt, in denen sich der Transformator bewegt.

Tabelle 4.1 zeigt die Definitionen der entsprechenden Laststrombereiche. Es stehen insgesamt Messreihen aus vier Jahren zur Verfügung, wobei sich die Jahresnutzungsdauern als auch die Lastbereiche deutlich unterscheiden. Diese Messreihe stellt den größten betrachteten Datensatz dar. Abbildung 4.4 zeigt für alle Jahre die gesamte Laufzeit in Stunden und die prozentuale Verteilung der jährlichen Laufzeiten in den unterschiedlichen Lastbereichen.

Tabelle 4.1   Lastbereiche des 125 MVA Maschinentransformators

Lastbereich	Lastströme
Niedriglast	0 - 280 A
Teillast	280 – 580 A
Vollast	580 – 700 A

Wurde der Transformator über einen längeren Zeitraum am Stück betrieben, so fand meist tagsüber eine Wirkleistungseinspeisung mit Nennwirkleistung statt. Abends und nachts wurde die Einspeisung auf 50%-60% gedrosselt. Bei ausreichend großer Datenbasis wie im Jahr 2012 sind Volllast und Teillastzeiten daher nahezu gleich groß. In allen anderen Jahren variiert das Verhältnis aufgrund der höheren Streuung bei wesentlich geringerer Betriebsstundenzahl.

Abbildung 4.5 zeigt im linken Diagramm die Korrelation zwischen dem Laststrom, der Öltemperatur und farblich kodiert der Umgebungstemperatur aus vier Jahren als Punktewolke. Erkennbar ist die Häufung der Messpunkte bei Volllast und im Teillastbereich. Abbildung 4.5, rechts zeigt die Ölübertemperatur θ_{ob} über dem Laststrom, die sich aus der Differenz zwischen Öl- und Umgebungstemperatur ergibt [49]. Der theoretische Zusammenhang zwischen Ölübertemperatur und dem Laststrom ist quadratisch (linear zur Last). Wie Abbildung 4.5 zeigt, kann jedoch über den gesamten Datensatz keine quadratische Annäherung erfolgen: Dafür treten ab Lastströmen von ca. 250 A zu hohe Ölübertemperaturen im Bereich $10 - 30°K$ auf. Wahrscheinlich ist hierfür der Einfluss der Kühlung (OFAF) verantwortlich, deren Stellwerte jedoch nicht als SCADA-Daten für eine weitere Auswertung verfügbar sind. Daher ist auch ein zeitweiser Betrieb als OFAN oder ONAN möglich. Da auch nicht bei allen betrachteten Messreihen Außentemperaturen verfügbar sind und θ_{ob} nicht für jede Langzeitauswertung ermittelt werden kann, wird im Folgenden immer die Öltemperatur direkt betrachtet, die im Folgenden mit der Umgebungstemperatur verglichen wird.

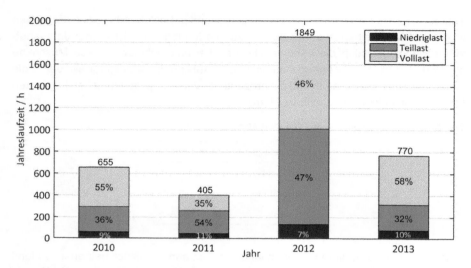

Abbildung 4.4   Betriebszeiten und Datenbasis für die Langzeitauswertung von Temperatur- und Lasteinflüssen

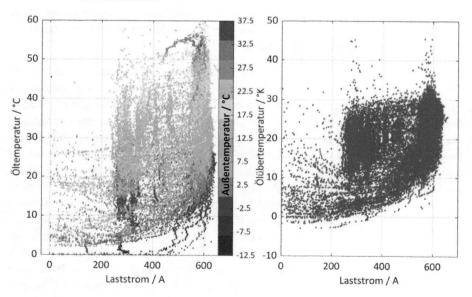

Abbildung 4.5   Links: Korrelation zwischen Laststrom, Öltemperatur und Umgebungstemperatur Rechts: Ölübertemperatur (beides über den gesamten Beobachtungszeitraum)

Abbildung 4.6 zeigt die Außentemperatur über der Öltemperatur, als Grundlage dient wieder der Datensatz des gesamten Betrachtungszeitraums. Erkennbar ist ein linearer Zusammenhang der beiden Temperaturen. Dies gilt nur für diesen Transformator und kann nicht als allgemein gültig angenommen werden, wie weitere Langzeituntersuchungen in den folgenden Kapiteln zeigen. Beispielsweise führt die Kühlungsart beim betrachteten 5-Schenkel-Maschinentransformator zu einer näherungsweise konstanten Öltemperatur, unabhängig von äußeren Einflüssen.

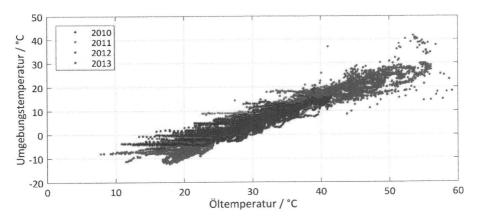

Abbildung 4.6   Linearer Zusammenhang zwischen Öltemperatur und Umgebungstemperatur

4.2.2 5-Schenkel 525 MVA Maschinentransformator

Der zweite betrachtete Maschinentransformator mit 525 MVA in Schaltgruppe Ynd5, Baujahr 1985 stellt den Netzanschlusspunkt eines Steinkohlekraftwerks mit 433 MW elektrischer Leistung dar. Das Kraftwerk wurde als Grundlastkraftwerk betrieben, daher ist hinsichtlich der Lastströme eine geringe Volatilität zu erwarten. Als Kühlung wird ein Oil Directed Water Forced (ODWF) System verwendet. Die mechanischen Schwingungen wurden wie zuvor mit einem baugleichen System mit identischem Beschleunigungssensor an der Kesselwand aufgezeichnet.

Abbildung 4.7 zeigt beispielhaft den zeitlichen Verlauf von Laststrom, Öltemperatur und mechanischen Schwingungen während eines Betriebstages. Erkennbar ist im Laststrom eine kurze Nachtabsenkung der Wirkleistung, tagsüber ist die Leistungsabgabe näherungsweise konstant.

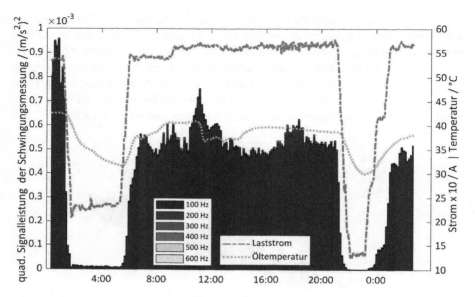

Abbildung 4.7   Zeitlicher Verlauf der mechanischen Schwingungen, des Laststroms und der Öltemperatur während eines Tages im kontinuierlichen Betrieb

Die Temperaturänderung ist tagsüber aufgrund der Kühlungsart relativ gering ($\Delta T <$ 10 K) und zeigt nachts bedingt durch die Wirkleistungsreduktion einen Temperaturabfall. Im gesamten Messzeitraum bewegt sich die Öltemperatur in einem kleinen Bereich zwischen 25 °C bis 45 °C (zum Vergleich: Der Temperaturbereich aus Kapitel 4.2.1 reicht von 0 °C bis 60 °C).

Die Schwingungsmessungen zeigen nahezu ausschließlich die mechanischen Grundschwingung (100 Hz) und nicht wie beim kleineren Transformator aus Kapitel 4.2.1 harmonische Frequenzen, welche dort den größten Anteil zur Signalenergie beitragen. Auch zeigt Abbildung 4.7, dass eine direkte Korrelation zwischen dem Lastgang (dem Laststrom) und der Signalleistung, bzw. der 100 Hz Komponente besteht, was am Transformator aus Kapitel 4.2.1, vergleiche Abbildung 4.2, nicht zu beobachten ist. Auch ist anzumerken, dass sich die Pegel der beiden Messreihen ca. zwei Größenordnungen unterscheiden. Transformatoren unterschiedlicher Leistung und mit unterschiedlichem Design lassen sich also nicht direkt miteinander bezüglich ihres Schwingungsverhaltens vergleichen.

Die Datenbasis dieser Messreihe ist verglichen mit Kapitel 4.2.1 um etwa den Faktor Vier kleiner. Es stehen insgesamt Messdaten aus 950 h kontinuierlichen Betrieb während den Sommermonaten zur Verfügung. Der Betrieb wird wie zuvor in drei leistungsabhängige Gruppen unterteilt, siehe Tabelle 4.2. Die Verteilung zeigt deutlich den Einsatz des Blocks als Grundlastkraftwerk.

Tabelle 4.2   Lastbereiche des 525 MVA Maschinentransformators

Lastbereich	Lastströme	Betriebszeiten
Niedriglast	0 - 200 A	171 h (18%)
Teillast	200 – 450 A	133 h (14%)
Volllast	450 – 650 A	646 h (68%)

4.2.3 5-Schenkel 180 MVA Netzkuppeltransformator

Beim betrachteten Betriebsmittel handelt es sich um einen 180 MVA 380/110 kV Transformator mit Schaltgruppe YNyn0, Baujahr 2009. Da die mittlere Betriebsmittelauslastung gering ist, wurde der Transformator während des Betrachtungszeitraums mit der Kühlungsart Oil Natural Air Natural (ONAN) betrieben. Möglich wäre auch eine Oil Directed Air Forced (ODAF) Kühlung, welche die Scheinleistung auf 300 MVA erhöht.

Abbildung 4.8 zeigt den zeitlichen Verlauf der Scheinleistung, der Öltemperatur und der mechanischen Schwingungskomponenten während vier Tagen kontinuierlichen Betriebs. In dieser Zeit wurde der Transformator auch kurzfristig bei Volllast bzw. im Nennlastbereich betrieben. Deutlich erkennbar ist die hohe Volatilität des Lastverhaltens bedingt durch den Tageslastgang der Verbraucher in den unterlagerten Spannungsebenen. Die Beispielmessung stammt aus den Sommermonaten, daher kann an manchen Tagen abhängig von der Sonneneinstrahlung eine Reduktion der Peakleistung um die Mittagszeit aufgrund von Photovoltaikeinspeisungen in die unterlagerten Netze angenommen werden. Aufgrund der passiven Kühlungsart folgt die Öltemperatur der Last (und der Umgebungstemperatur, hier nicht gemessen) nur träge mit einer großen Zeitkonstanten.

Die Signalleistung der mechanischen Schwingung besteht hauptsächlich aus der Grundschwingung und der dritten Harmonischen. Andere Frequenzanteile sind vernachlässigbar. Die Grundschwingung zeigt auch in diesem Beispiel eine direkte Korrelation zum Laststrom bzw. zur Last.

Insgesamt stehen für diese Messreihe Daten aus 3192 Betriebsstunden zu Verfügung. Wie bei den anderen Langzeitmessungen wird das Lastverhalten wieder in drei Lastbereiche unterteilt, siehe Tabelle 4.3. Die geringe Auslastung des Transformators spiegelt sich in der Verteilung wieder: fast die Hälfte der Zeit bewegt sich der Transformator im Teillastbereich. Da der Laststrom nicht direkt aus den Betriebsdaten abgelesen werden kann (zur Verfügung stehen nur die Scheinleistungsdaten), wurde der dreiphasige Laststrom unter Berücksichtigung der Stufenschalterstellung aus der Scheinleistung berechnet.

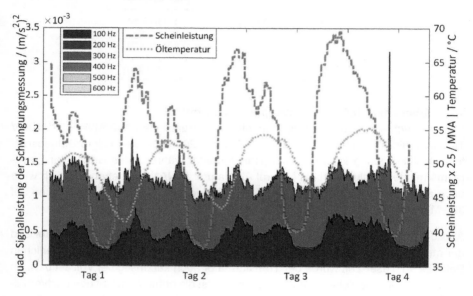

Abbildung 4.8   Zeitlicher Verlauf der mechanischen Schwingungen, der Scheinleistung und der Öltemperatur über vier Tage im kontinuierlichen Betrieb

Im Vergleich der drei vorgestellten Transformatoren zeigt sich, dass das Schwingungsverhalten eines jeden Transformators nicht direkt mit anderen verglichen werden kann. Im kommenden Kapitel wird zusätzlich betrachtet, wie stark die Messergebnisse schwanken können, wenn an einem Betriebsmittel an unterschiedlichen Kesselpositionen Messungen durchgeführt werden.

Tabelle 4.3   *Lastbereiche des 180 MVA Netzkuppeltransformators*

Lastbereich	Lastströme	Betriebszeiten
Niedriglast	0 - 125 A	672 h (16%)
Teillast	125 – 200 A	1806 h (43%)
Volllast	200 – 280 A	714 h (17%)

4.3 Einfluss der Sensorposition

Aufgrund der komplexen mechanischen Struktur von Leistungstransformatoren sind Beeinflussungen des Koppelpfads zwischen mechanischer Quelle (dem Aktivteil) und dem messenden Sensor an der Kesselaußenwand zu erwarten. Beispielhaft seien hier Versteifungen des vakuumfesten Kessels oder auch magnetische Abschirmbleche genannt, mit denen Teile der Kesselinnenwand verkleidet sind. In der Praxis ist eine unbeabsichtigte Beeinflussung des Koppelpfades durchaus wahrscheinlich. So kann beispielsweise bei einer Wiederholungsmessung mit zeitlichem Abstand zur Erstmessung die ursprüngliche Sensorposition nicht bekannt sein.

Im Folgenden soll daher der Einfluss der Sensorposition anhand eines praktischen Versuchsaufbaus qualitativ bewertet werden. Betrachtet wird der 380 kV / 110 kV Netzkuppeltransformator aus Kapitel 4.2.3. Der Transformator weist auf einer Kesselseite zehn durch Verstrebungen begrenzte Außenflächen mit etwa gleicher Größe auf, siehe Abbildung 4.9. Die Mitten aller Felder wurden bestimmt und Körperschallmessungen wurden in allen Feldmitten durchgeführt. Für die Versuchsreihe wurde immer dieselbe Sensorik und Messtechnik verwendet, um zusätzliche Einflussfaktoren zu auszuschließen..

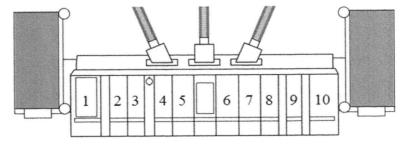

Abbildung 4.9   *Seitenansicht des 380 / 110 kV Netzkuppeltransformators; Einteilung der Seite in 10 Messfelder (nicht maßstabsgetreu)*

Um Kontaktierungseinflüsse zwischen dem Sensor und der Kesselwand auszuschließen, wurden an allen Positionen Mehrfachmessungen durchgeführt und der Mittelwert aus drei Messungen betrachtet. Um die Wiederholbarkeit der Messungen bewerten zu können, zeigt Abbildung 4.10 die Frequenzanteile der Grundfrequenz bis zur 5. Harmonischen an einer festen Position (Feld 9) in logarithmischer Darstellung. Zwischen jeder Messung wurde der Sensor vom Kessel entfernt und dann neu fixiert. Wie der Vergleich zeigt, beseht eine gute Reproduzierbarkeit. Die Standardabweichung liegt immer unter $\sigma < 1{,}6 \cdot 10^{-5}$ m/s.

Für die Vergleichsmessung der einzelnen Felder sind die Last des Transformators (Teillastbetrieb bei ca. 30%) sowie die Öltemperatur konstant. Während der Messung waren Ölpumpen aktiv, die jedoch im Frequenzbereich über 1 kHz Schwingungen und Geräusche erzeugen. Die externen Lüfterbänke waren während der Vergleichsmessungen nicht aktiv. Die gemessene Signalleistung jeder Messposition sowie deren Zusammensetzung aus den einzelnen Frequenzanteilen ist in Abbildung 4.11 abgebildet.

Dargestellt sind die quadratischen Leistungsanteile. Im Diagramm entspricht der höchste abgebildete Wert der quadratischen Summe der Leitungskomponenten. Aufgrund der geringen Signalleistung werden harmonische Anteile ab $f_h = 500\ Hz$ als aufsummierte Leistungsanteile dargestellt. Die Messung zeigt, dass die Kopplung an den einzelnen Positionen stark variiert. Selbst die absolute (quadratische) Signalleistung benachbarter Felder ist nicht vergleichbar. Gleiches gilt für die einzelnen Frequenzanteile, die sich zwischen den Messpunkten deutlich unterscheiden.

Um die Einzelmessungen statistisch bewerten zu können, wurden an den Positionen 7 und 9 Langzeitmessungen durchgeführt. Einen direkten Vergleich der mechanischen Grundfrequenz (100 Hz) der beiden Felder über dem Lastfaktor ermöglicht Abbildung 4.12, welche die Grundfrequenz aller Messungen als Punktewolke darstellt. Wie bereits bei der Einzelmessung festgestellt werden kann unterscheiden sich die Messungen in ihrem Signalstärkebereich: Messposition 7 hat eine tendenziell niedrigere Signalleistung als Messposition 9 und einen kleineren Wertebereich, siehe Abbildung 4.11. Für Messposition 7 kann im Rahmen einer Berechnung der kleinsten Fehlerquadrate eine lineare Annäherung für die Korrelation von Laststrom und resultierender Kesselbeschleunigung verwendet werden, wohingegen für Position 9 ein quadratischer Fit eine bessere Lösung darstellt.

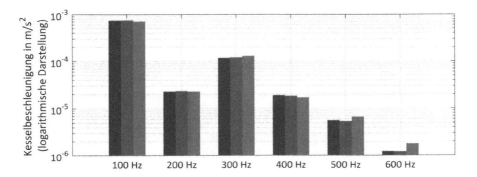

*Abbildung 4.10   Betrachtung der Reproduzierbarkeit von Schwingungsmessungen am Kessel;
Vergleich der Frequenzanteile drei aufeinanderfolgender Messungen an gleicher
Position*

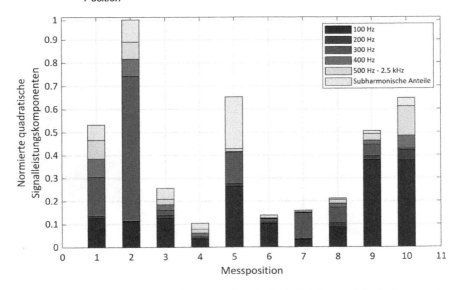

*Abbildung 4.11   Quadratische Signalleistung und quadratische Leistungsanteile der Frequenzkom-
ponenten des Körperschalls an 10 Messpositionen am Kessel (vgl. Abbildung 4.9);
Werte normiert auf maximal auftretenden Summenwert (an Position 2)*

Die Untersuchungen zeigen, dass verschiedene Messpunkte eines Betriebsmittels im Allgemeinen nicht miteinander verglichen werden können. Dies ist vor allem für Wiederholungsmessungen von Interesse. Hierfür empfiehlt es sich, die Messpositionen zu dokumentieren, um eine spätere Messreihe vergleichbar aufnehmen zu können. Auch bei vergleichenden Messungen von baugleichen Schwestertransformatoren (vgl. Kapitel 5.3.3) muss die gleiche Position verwendet werden.

Aufgrund der beschriebenen Anforderungen können Schwingungsmessungen verschiedener Transformatoren im Allgemeinen nicht direkt miteinander verglichen werden. Die Einflussfaktoren durch den inneren Kesselaufbau und die Kesselwand selbst führen zu einem unbekannten Signalausbreitungspfad. Schwingungsmessungen sind daher bzgl. ihrer Anwendung ähnlich zu FRA-Messungen, bei denen die Reproduzierbarkeit des Messaufbaus ebenfalls essentiell ist. Beide Messverfahren sind auf vergleichende Messungen angewiesen

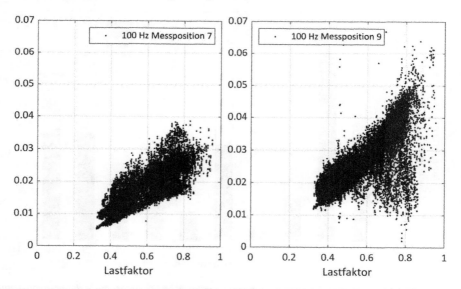

Abbildung 4.12   Langzeitvergleich der mechanischen Grundschwingung über den gesamten Betrachtungszeitraum an zwei verschiedenen Messpositionen (vgl. Abbildung 4.9)

4.4 Einfluss der Stufenschalterstellung

Durch die sich ändernde effektive Windungszahl bei verschiedenen Stufenschalter-stellungen kann sich die eingeprägte magnetische Flussdichte in den Schenkeln theoretisch verändern. Somit ist auch eine Veränderung der Magnetostriktion denkbar. Daher wird in diesem Kapitel betrachtet, wie sich eine Änderung der Stufenschalter-stellung auf das mechanische Schwingungsverhalten auswirkt.

Für die Untersuchung wird der in Kapitel 4.2.3 eingeführte Netzkuppeltransformator betrachtet. Von diesem werden Langzeitmessungen mehrerer Monate ausgewertet. Die Messungen fanden mit einem fest installierten Sensor in Feld 7 statt (siehe Abbildung 4.9). Die Messungen wurden in festen Intervallen (hier: 15 Minuten) durchgeführt. Insgesamt wurden für die Auswertung 85.500 Einzelmessungen herangezogen. Für jede Messung wurden die Kesselschwingungen für 5 Sekunden mit einer Abtastrate von $f_{sample} = 44,1\ kSamples/s$ aufgezeichnet. Die lange Aufzeichnungsdauer minimiert den Einfluss möglicher transienter Störeinkopplungen in der Fourier-Transformation.

Für die Auswertung werden die Frequenzanteile mit der höchsten Signalleistung in Feld 7 betrachtet: die mechanische Grundfrequenz ($f_{n,mech} = 100\ Hz$). Während des Betrachtungszeitraums wurden die Stufen 4 bis 9 von der Schalterregelung angefahren. Abbildung 4.13 zeigt die Signalleistung der mechanischen Schwingungen über der Stufenschalterstellung als Punktewolke. Die Messungen sind auf die größte auftretende Signalleistung der 100 Hz Komponente normiert. Jeder Punkt repräsentiert eine Einzelmessung. Strichliert ist der Mittelwert der Signalleistung bei jeder Stufe angezeigt und in grau die Standardabweichung, welche auch in Tabelle 4.4 aufgelistet ist.

Für die weitere Bewertung muss beachtet werden, dass die Stufen 4 und 9 nur selten angefahren wurden. Aus dem gesamten Datenbestand entfallen nur ca. 8% auf diese beiden Stufenstellungen und werden daher als wenig aussagekräftig bewertet. Die Stufen 5 bis 8 sind in etwa gleichverteilt; auf jede Stufe entfallen ca. 23% der verfügbaren Messdaten. Daher werden im Folgenden nur die Stufen 5-8 in Betracht gezogen [67]. Für alle Stufen fällt die hohe Streuung der Werte mit hohen Standardabweichungen auf. Auch ist kein linearer oder anderer Zusammenhang zwischen dem Mittelwert der Signalleistung bei einer Stufe und der Schalterstellung ersichtlich. Insbesondere die hohe Streuung legt nahe, dass andere Effekte das Schwingungsverhalten dominieren und die Stufenschalterstellung keinen signifikanten Einflussparameter darstellt.

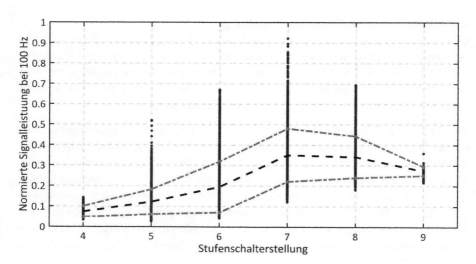

Abbildung 4.13   *Signalleistung der mechanischen Grundfrequenz in Abhängigkeit von der Stufen-schalterstellung (insgesamt 85.500 Einzelmessungen); gestrichelt: Mittelwert, grau: Standardabweichung;*

Tabelle 4.4   *Standardabweichung der normierten Signalleistung bei verschiedenen Stufen-schalterstellungen*

Stufe	4	5	6	7	8	9
100 Hz	0,03	0,065	0,12	0,13	0,1	0,02

Um diese Einschätzung zu validieren, ist in Abbildung 4.14 die am Netzkuppeltrans-formator gemessene Scheinleistung über der Stufenschalterstellung während jeder Einzelmessung dargestellt. Erkennbar ist eine hohe Streuung der Scheinleistungs-werte der Stufen 5-8, jedoch zeigt der Mittelwert der Scheinleistung eine näherungs-weise lineare Korrelation mit der Stufenschalterstellung. Höhere Stufenschalterstel-lungen kommen also hauptsächlich bei höheren Scheinleistungswerten vor. Dieses Verhalten kann auf den Regelmechanismus der Blindleistungskompensation zurück-geführt werden. Der Stufenschalter wird so angesteuert, dass der Blindleistungsbe-darf im Netz möglichst ausgeregelt wird, also der Spannungsabfall über der Impe-danz der Leitung möglichst ausgeglichen wird. Der Blindleistungsbedarf der Leitung steigt bei steigendem Wirkleistungsbezug der unterlagerten Netze an, also bei stei-gender Scheinleistung.

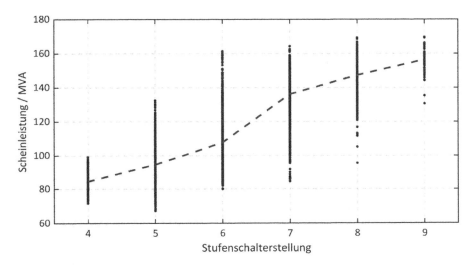

Abbildung 4.14 Korrelation zwischen der Stufenschalterstellung und der Scheinleistung; Strichliert dargestellt ist der Mittelwert der Scheinleistung in jeder Stufenschalterstellung

Durch das Zu- und Abschalten von Windungen durch die einzelnen Stufen wird so die Klemmenspannung näherungsweise bei Nennspannung gehalten und der Blindleistungsbedarf bestmöglich kompensiert, siehe Gleichung (4.1). Daher kommen bei höheren Scheinleistungswerten höhere Stufenschalterstellungen vor [68].

$$|Q| = \frac{U_{Trafo}}{X_{Leiter}} \left(U_{ref} \cdot \cos(\theta_1 - \theta_2) - U_{Trafo} \right)$$

$$|Q| \cong \frac{U_{Trafo}}{X_{Leiter}} \left(U_{ref} - U_{Trafo} \right) \qquad f\ddot{u}r\ \Delta\theta < 10° \qquad \text{(4.1)}$$

$\lvert Q \rvert$	Blindleistungsbedarf der Leitung
U_{Trafo}	Spannung am Transformator
X_{Leiter}	Leitungsreaktanz zwischen Transformator und Slackknoten ($U_{ref} = U_N$)
U_{ref}	Referenzspannung am Leitungsende
θ_1	Phasenwinkel am Leitungsende
θ_2	Phasenwinkel am Transformator

Dem Induktionsgesetz folgend ist bei konstanter Wicklungsspannung auch der magnetische Fluss im Kern konstant, was auch eine konstante Magnetostriktion bedeutet. Zusammenfassend kann festgestellt werden, dass die Stufenschalterstellung
keine eindeutige Korrelation und keinen kausalen Zusammenhang zum mechanischen Schwingungsverhalten aufweist. Daher werden in den folgenden Kapiteln weitere mögliche Einflussfaktoren genauer betrachtet.

4.5 Einfluss der Betriebstemperatur

In diesem Kapitel wird anhand der Messreihen der drei vorgestellten Transformatoren untersucht, inwieweit sich die Betriebstemperatur – also die Öltemperatur – auf
das mechanische Schwingungsverhalten auswirkt und welche Korrelationen bestehen. Wie in Kapitel 4.2.1 beschrieben wird für die Betrachtungen die Öltemperatur
direkt anstatt der Ölübertemperatur Θ_{ob} verwendet, da zum einen nicht für alle Transformatoren die Daten verfügbar sind und zum anderen Θ_{ob} im in Kapitel 4.2.1 untersuchten Fall keine ausreichende Korrelation zur Last zeigt.

Aufgrund der unterschiedlichen Ausdehnungskoeffizienten der eingesetzten Materialien (Pressboard, Holz, Stähle, etc.) ist es wahrscheinlich, dass sich durch thermi-
sche Volumenänderungen auch Einspannkräfte und mechanische Kopplungspfade
ändern. Dabei wird nicht die gesamte Signalleistung betrachtet, sondern die einzelnen Frequenzanteile werden getrennt untersucht. Der Schwerpunkt der Untersuchungen wird auf die mechanische Grundschwingung (100 Hz) gelegt. Harmonische
Frequenzanteile können verschiedene Ursachen haben, die nicht unbedingt mit dem
Aktivteil zusammenhängen. Im ersten Schritt wird der größte Datensatz des
125 MVA Maschinentransformators genauer betrachtet. Abbildung 4.15 zeigt die einzelnen Frequenzanteile der mechanischen Schwingung von der Grundfrequenz bis
zur 6. Harmonischen über der Öltemperatur für den vollständigen Datensatz. Die 5.
und 6. Harmonische weisen bereits niedrige Pegel auf und zeigen keinerlei Abhängigkeit von der Temperatur.

Bei höheren Harmonischen (in Abbildung 4.15 nicht abgebildet) sinkt die Signalleistung noch weiter, daher werden diese nicht betrachtet. Die niedrigen Frequenzanteile
von 100 Hz bis 400 Hz zeigen unterschiedliches Verhalten bezogen auf die Temperatur. Bei der Grundfrequenz und der vierten Harmonischen kann bei diesem Transformator ein linearer Zusammenhang angenommen werden. Die dritte Harmonische
weist zusammen mit der Grundfrequenz die höchsten Pegel auf, die 300 Hz Komponente zeigt jedoch keine erkennbare Abhängigkeit zur Temperatur. Die zweite Harmonische stellt mit den niedrigen Pegeln und einem näherungsweise linearen Verhalten mit negativen Gradienten bei niedrigen Temperaturen bis 25 °C und einem
positiven Gradienten bei höheren Temperaturen einen Ausnahmefall dar.

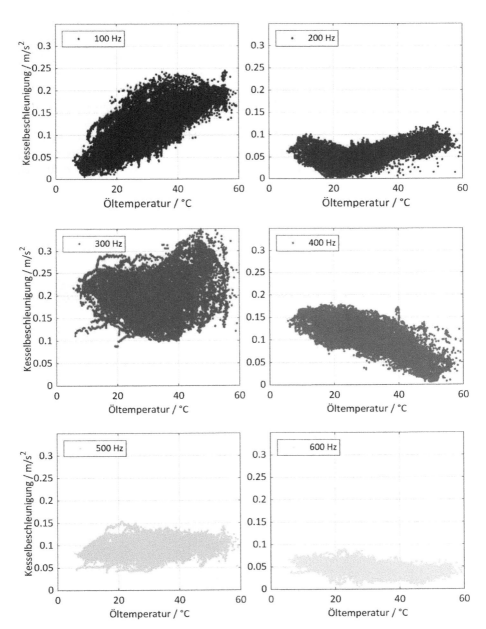

Abbildung 4.15   Frequenzanteile der mechanischen Schwingungen des 125 MVA Maschinentransformators über der Öltemperatur

Im direkten Vergleich zeigt Abbildung 4.16 die 100 Hz Komponente der anderen untersuchten Transformatoren über der jeweiligen Öltemperatur. Bei diesen Langzeitmessungen ist keine unmittelbare Korrelation zwischen Temperatur und mechanischer Schwingung zu erkennen. Beim 525 MVA Maschinentransformator beschränken sich die Messungen auf einen kleinen Temperaturbereich von 30 °C - 45 °C. Beim 180 MVA Netzkuppeltransformator ist der Temperaturbereich größer, von 38 °C bis 58 °C. Grund hierfür sind die eingesetzten Kühlungsarten. Der Maschinentransformator wird durch die ODWF-Kühlung in einem kleinen Temperaturbereich gehalten. Der 180 MVA Netzkuppeltransformator wird bei ONAN-Kühlung betrieben und ist daher wesentlich stärker mit der Umgebungstemperatur gekoppelt und unterliegt klimabedingten Schwankungen.

Für diese beiden Betriebsmittel ist daher eine vergleichende Langzeituntersuchung basierend auf der Temperatur nicht möglich. Der Vergleich der drei Betriebsmittel zeigt, dass eine direkte vergleichende Schwingungsanalyse nicht per se möglich ist. Transformatoren müssen zunächst immer einzeln betrachtet werden.

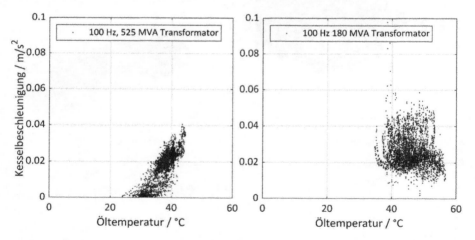

Abbildung 4.16   Vergleich der mechanischen Grundschwingung vom 525 MVA Maschinentransformator (links) und dem 180 MVA Netzkuppeltransformator (rechts)

4.5.1 Kompensation des Temperatureinflusses

Mit der Kenntnis des linearen Zusammenhanges der 100 Hz Komponente der Schwingungsmessung mit der Öltemperatur am 125 MVA Maschinentransformator kann dieser Einfluss aus den Messungen herausgerechnet werden. Damit können die Messdaten näherungweise temperaturunabhängig über der Last betrachtet werden. Anwendung findet die Methode in der Fallanalyse, siehe Kapitel 4.7.

Abbildung 4.17 zeigt aus dem gesamten Messdatensatz die 100 Hz Komponente über der Öltemperatur als Punktewolke. Die linearisierten Ausgleichsgeraden über den gesamten Datensatz und für die einzelnen Jahre werden mit der jeweiligen Steigungen k_t und Offset d_t aus Gleichung (4.2) ermittelt. Die gefitteten Koeffizienten einzelner Jahre sind in Tabelle 4.5 dargestellt. Erkennbar ist, dass sich die Steigung in den einzelnen Jahren nicht wesentlich ändert.

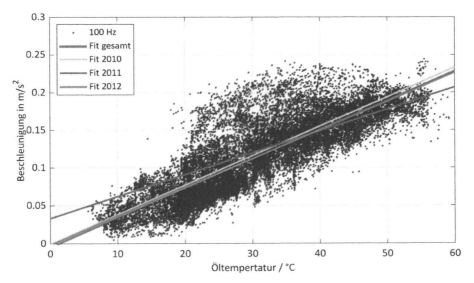

Abbildung 4.17   *Linearer Fit des Zusammenhangs zwischen Öltemperatur und Signalleistung der mechanischen Grundschwingung*

Daher wird für die weiteren Betrachtungen der lineare Fit mit Durchschnittswerten (über alle Jahre gemittelt) verwendet, der in Abbildung 4.17 in rot dargestellt ist. Um den Einfluss der Temperatur zu kompensieren, wird für jede betrachtete Einzelmessung mittels Gleichung (4.2) der Temperatureinfluss auf die Signalleistung berechnet und vom Originalsignal abgezogen.

Tabelle 4.5   Koeffizienten des linearen Fits einzelner Jahre über den Datensatz 2010 -2012

Jahr	k_t	d_t
2010	0,0039	-0,0097
2011	0,0029	0,033
2012	0,0038	-0,0017
Mittelwert	0,0035	-0,0072

$$a_{\text{lin}} = a_{\text{org}} - (k_t \cdot T + d_t) \qquad\qquad (4.2)$$

a_{lin} kompensiertes Schwingungssignal
a_{org} originales Schwingungssignal
k_t Gradient der Ausgleichsgerade
T Öltemperatur in °C
d_t Offset der Ausgleichsgerade

4.6 Einfluss der Transformatorlast

Aufgrund des in Kapitel 2.1.3 beschriebenen physikalischen Zusammenhangs zwischen Windungsstrom und Wicklungsbewegung ist anzunehmen, dass mit zunehmender Last auch die Signalleistung mechanischer Schwingungen steigt. Idealisiert betrachtet könnte aufgrund der Modellvorstellung für die mechanischen Grundschwingung ein quadratischer Zusammenhang angenommen werden. Das lastabhängige Verhalten aller drei Transformatoren wird anhand der verfügbaren Messdaten genauer betrachtet. Zunächst zeigt Abbildung 4.18 die mechanischen Frequenzanteile aus der Messreihe des 125 MVA Maschinentransformators über dem Lastfaktor bis zur sechsten Harmonischen. Höherfrequente Signalanteile werden wie im vorangegangenen Kapitel aufgrund der kleinen Signalleistungen vernachlässigt. Die Diagramme zeigen, dass keine der betrachteten Frequenzen eine offensichtliche Korrelation zur Last aufweist. Sowohl bei der Grundfrequenz als auch bei den Harmonischen ist die Streuung der Signalleistungen über alle Lastbereiche nahezu gleich groß. Für die Langzeitmessung am 125 MVA Maschinentransformator kann der erwartete quadratische Zusammenhang zwischen Schwingungssignal und dem Laststrom nicht festgestellt werden.

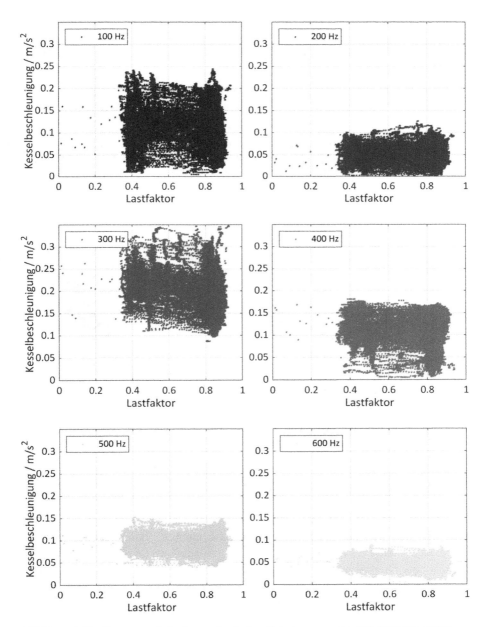

Abbildung 4.18   Frequenzanteile der mechanischen Schwingungen des 125 MVA Maschinen-transformators über dem Lastfaktor

Vergleichend zeigt Abbildung 4.19 die Grundfrequenz über dem jeweiligen Lastfaktor des 525 MVA Maschinentransformators (links) und des 180 MVA Netzkuppeltransformators (rechts). Wieder entspricht jeder Punkt einer Einzelmessung. Am 525 MVA Maschinentransformator ist der quadratische Zusammenhang zwischen Last und Signalleistung gut zu erkennen. Zur Verdeutlichung zeigt die rote Ausgleichskurve einen quadratischen Fit auf die Messdatenmenge gemäß Gleichung (4.3).

$$A = \alpha I^2 + \beta I + \gamma \qquad (4.3)$$

A \qquad Quadratischer Fit des Schwingungssignals
α, β, γ \qquad Parameter der quadratischen Näherung
I \qquad 3-phasiger Laststrom (Effektivwert)

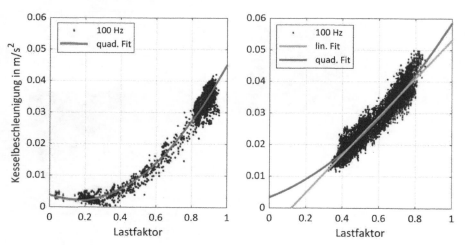

Abbildung 4.19   Mechanische Grundfrequenz in Abhängigkeit des jeweiligen Lastfaktors
Links: 525 MVA Maschinentransformator mit quadratischem Fit
Rechts: 180 MVA Netzkuppeltransformator mit linearem & quad. Fit

Auch die Schwingungsmessung des Netzkuppeltransformators korreliert mit dem Laststrom, jedoch ist der Zusammenhang nicht eindeutig. Eingezeichnet sind daher sowohl eine lineare als auch eine quadratische Ausgleichskurve. Beide Fits weisen vergleichbare Qualität auf (ähnliche Residuenquadratsumme), die deutlich schlechter ist als beim Fit für den 525 MVA Transformator (um ca. Faktor 2). Hierzu muss berücksichtigt werden, dass der Netzkuppeltransformator in einem schmaleren Lastband betrieben wird und ein quadratisches Verhalten bei vollem Ausnutzen des Lastfaktors erkennbar werden könnte.

Bei beiden Langzeitauswertungen zeigen die höheren harmonischen Anteile keinerlei Korrelation zur Last (nicht separat dargestellt). Aus den drei vorgestellten Langzeitmessungen kann daher abgeleitet werden, dass der direkte Zusammenhang zwischen Last und mechanischer Schwingung nur für die Grundfrequenz gegeben sein kann. Alle anderen Frequenzen können eine Korrelation zeigen, dies ist aber im Allgemeinen nicht anzunehmen. Zu viele Faktoren können die Harmonischen beeinflussen und hängen vom einzelnen Transformator ab: die Nichtlinearitäten der Elektrobleche, Eigenmoden des mechanischen Aufbaus und nicht zuletzt die Position des Sensors.

4.7 Fallanalyse 125 MVA Maschinentransformator

Die große verfügbare Datenbasis des 125 MVA Transformators wird im Folgenden für eine detaillierte statistische Auswertung verwendet. Im ersten Teil wird das Schwingungsverhalten mit dem Temperaturverhalten des Betriebsmittels korreliert. Im zweiten Teil folgen eine Betrachtung der Schwingungen über dem Lastgang sowie eine Verbindung beider Methoden indem der Einfluss der Temperatur aus den Messdaten herausgerechnet wird, siehe Kapitel 4.5.1.

Temperaturverhalten

Betrachtet wird die mechanische Grundschwingung. Zunächst soll ausgeschlossen werden, dass die Korrelation zwischen Grundschwingung und Temperatur durch Abhängigkeiten der Schwingungen zum Laststrom signifikant verfälscht wird. Dazu wird die Abhängigkeit zwischen mechanischer Grundfrequenz und Öltemperatur bei den in Kapitel 4.2.1 definierten drei unterschiedlichen Lastbereichen verglichen. Abbildung 4.20 zeigt die 100 Hz Komponente über der Öltemperatur separat für jeden Lastbereich mit den jeweiligen linearen Fits. Wie der Vergleich der Diagramme zeigt, besteht zwischen den Lastbereichen kein signifikanter Unterschied. Die Steigungen der linearen Fits sind vergleichbar und der lineare Verlauf über der Temperatur ist in allen drei Fällen gegeben und prinzipiell ähnlich. Für die weitere Korrelation zwischen Schwingungsverhalten und Temperatur dürfen daher Einflüsse der Last vernachlässigt werden.

Änderungen über der Zeit

Um das Langzeitverhalten der Grundschwingung zu analysieren, werden zunächst in einem einfachen Ansatz die Messdaten der einzelnen Jahre gegenübergestellt. Abbildung 4.21 zeigt die 100 Hz Komponente über der Öltemperatur farblich codiert nach einzelnen Jahren.

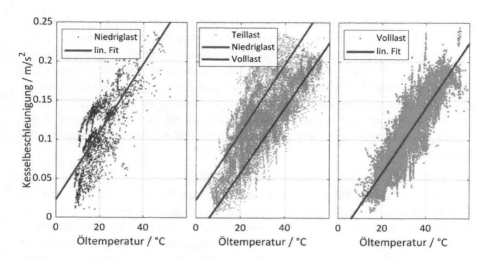

Abbildung 4.20   Zusammenhang zwischen Grundschwingung (100 Hz) und Öltemperatur bei verschiedenen Lastbereichen (Linien: lineare Ausgleichsgeraden)

Deutlich erkennbar ist, dass in den Jahren 2010 und 2011 die Schwingungen sehr gut vergleichbar sind und sich ähneln. Im Vergleich dazu ist in den Messdaten aus den Jahren 2012 und 2013 eine breitere Streuung der Signalleistung erkennbar im den gesamten Temperaturbereich.

Eine Änderung des Schwingungsverhaltens ab dem Jahr 2012 ist aufgrund des beobachteten Schwingungsverhaltens naheliegend. Für eine bessere Vergleichbarkeit zeigt Abbildung 4.22 in beiden Diagrammen den Datensatz von 2010 einmal verglichen mit den Veränderungen im Jahr 2012 (links) und im Jahr 2013 (rechts). Bis zu einer Öltemperatur von circa 21 °C sind die mechanischen Schwingungen von 2012 vergleichbar mit den Daten aus 2010. Erst bei höheren Temperaturen treten Abweichungen auf mit höherer Streuung und höheren Maximalwerten der Signalleistung. Dieses Verhalten setzt sich in den Messdaten von 2013 fort. Dies geschieht im Gegensatz zu 2012 nun auch bei niedrigeren Temperaturen bis ca. 10 °C.

Aufgrund der hohen Streuung der Messwerte werden die Veränderungen der mechanischen Schwingungen ab 2012 anhand ihrer Mittelwerte und der Standardabweichung statistisch bewertet. Abbildung 4.23 zeigt auf der gemeinsamen Abszisse den Temperaturbereich unterteilt in 3 K-Schritte. Die oberen beiden Diagramme zeigen die Verläufe der Jahresmittelwerte der mechanischen Grundschwingung über den definierten Temperaturschritten.

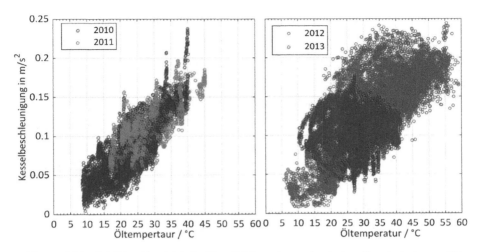

Abbildung 4.21   Jährlicher Vergleich der Signalleistung der mechanischen Grundschwingung über der Öltemperatur

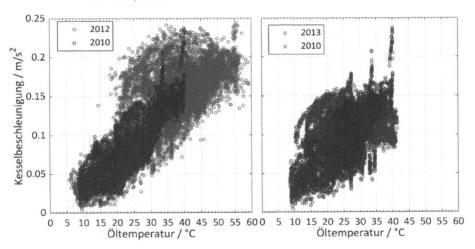

Abbildung 4.22   Vergleich der mechanischen Grundschwingung aus dem Jahr 2010 (blau) mit dem veränderten Verhalten 2012 (links) und 2013 (rechts)

Zusätzlich ist für jeden 3 K-Schritt die Standardabweichung als Balken eingetragen. Im unteren Diagramm ist die verfügbare Datenmenge für jeden Temperaturschritt abgebildet. Die verfügbare Datenmenge wird zusammen mit der Standardabweichung als Kriterium für die Zuverlässigkeit der Messergebnisse herangezogen.

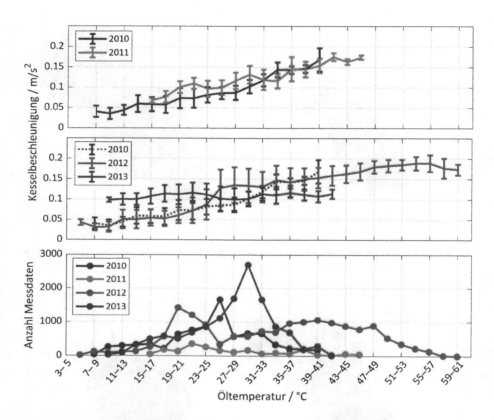

Abbildung 4.23   *Oben, Mitte: Mittelwerte und Standardabweichung der Signalleistung bei 100 Hz*
über der Temperatur in verschiedenen Jahren
Unten: Anzahl der verfügbaren Messungen bei der jeweiligen Temperatur

Der Verlauf der Daten aus dem Jahr 2011 zeigt bis zu einer Temperatur von 37 °C
einen erhöhten durchschnittlichen Mittelwert, verglichen mit jenen aus 2010. Die Anzahl der gemessenen Daten ist 2011 allerdings geringer als in den restlichen Jahren.
In 2012 steigt die Standardabweichung der Messungen im Vergleich zu den Vorjahren nochmal an. Erkennbar ist in 2012 auch ein größerer Temperaturbereich, der
darauf zurückgeführt wird, dass der Transformator hauptsächlich in den Sommermonaten lief und die höhere Umgebungstemperatur auch zu einem linearen Anstieg der
Öltemperatur führt (vergleiche Abbildung 4.6).

Die mittlere Signalleistung in 2012 im Bereich zwischen 23 °C bis 35 °C steigt vergli-chen mit 2010 um Faktor 1,5 an. Diese Erhöhung setzt sich im Jahr 2013 weiter fort, hier bei niedrigeren Temperaturen im Bereich 11 °C bis 23 °C, in dem die Signalleis-tung der Grundfrequenz um Faktor 2 höher ist als in 2010. Da der Transformator in 2013 nur in den Winter- und Frühjahrsmonaten betrieben wurde, ist der gesamte Temperaturbereich hier wieder niedriger als 2012 und ähnlich zu den Vorjahren.

Als Arbeitsthese kann angenommen werden, dass im Betriebsjahr 2012 eine mecha-nische Veränderung zu einem veränderten Schwingungsverhalten geführt hat. Eine genauere Differenzierung wird im nächsten Schritt versucht. Dazu werden die mittle-ren Signalleistungen über der Temperatur getrennt nach Lastbereichen betrachtet. Abbildung 4.24 zeigt die Temperaturverläufe in den einzelnen Jahren getrennt nach den drei definierten Lastbereichen. Im Vollastbereich (unteres Diagramm, 280 A – 580 A) ist erkennbar, dass die Unterschiede zwischen den einzelnen Jahren gering ausfallen (niedrige Temperaturen im Jahr 2013 ausgenommen). Auch ist die Stan-dardabweichung hier vergleichsweise am Kleinsten. Im Niedriglastbereich (oberes Diagramm, 0-280 A) ist für niedrigere Temperaturen bis 27 °C ein deutlicher Anstieg der Signalleistung im Jahr 2013 erkennbar, verglichen mit 2010. Die Datenbasis für den Teillastbereich (mittleres Diagramm, 280 A – 580 A) ist mit dem Volllastbereich (1570 zu 1799 Betriebsstunden) vergleichbar. Auch im Teillastbereich ist deutlich der Anstieg der mittleren Signalleistung in den Jahren 2012 und 2013 verglichen mit 2010 im Temperaturbereich von 23 °C - 35 °C erkennbar.

Die Beobachtungen legen nahe, dass der Anstieg der mechanischen Schwingungs-leistung mit dem Lastverhalten des Transformators verknüpft ist und nicht nur mit der Temperatur. Daher wird im nächsten Schritt die Korrelation zwischen Last und Schwingungsverhalten untersucht. Für eine selektive Betrachtung dieses Zusam-menhangs wird die in Kapitel 4.5.1 vorgestellte Methode eingesetzt, um den Einfluss der Temperatur aus der Untersuchung herauszurechnen.

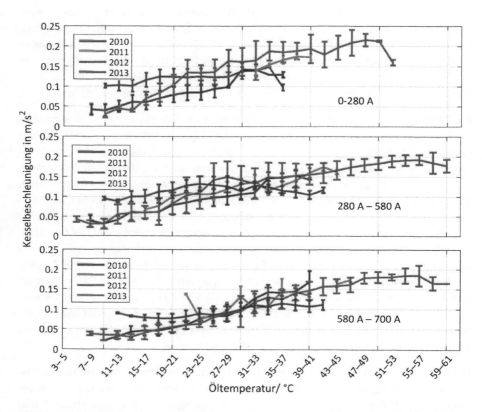

*Abbildung 4.24   Mittelwerte und Standardabweichungen der Grundfrequenz über der Öltemperatur
bei verschiedenen Lastbereichen; Oben: Niedriglast, Mitte: Teillast, Unten: Volllast*

Abbildung 4.25 zeigt im linken Diagramm die originalen Schwingungsmessdaten bei
100 Hz über dem Laststrom, farblich unterschieden nach Jahren. Die Daten zeigen
die bereits in Kapitel 4.6 diskutierte hohe Streuung. Im rechten Diagramm ist für jede
Einzelmessung der Temperatureinfluss auf die Schwingung anhand der linearen Ap-
proximation aus Kapitel 4.5.1 herausgerechnet. Durch die Kompensation können
rechnerisch negative Beschleunigungswerte entstehen. Die Absolutwerte haben in
dieser Betrachtung daher keine Aussagekraft. Entscheidend sind die Unterschiede
zwischen den jährlichen Messreihen.

Der Vergleich der beiden Diagramme zeigt, wie ohne Temperaturkompensation die Messdaten aus 2012 und 2013 über dem gesamten Lastbereich höher liegen als Messungen aus den beiden früheren Jahren, siehe linkes Diagramm. Im kompensierten Datensatz im rechten Diagramm ist der Unterschied zwischen den Jahren im Volllastbereich nicht mehr gegeben. Im Vergleich dazu ist im Teillastbereich deutlich erkennbar, dass die Jahre 2012 und 2013 höhere Signalwerte aufweisen als die Messdaten aus dem Jahr 2010.

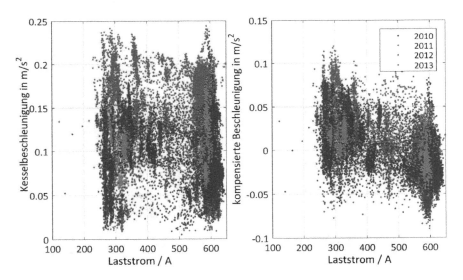

Abbildung 4.25   *Mechanische Grundschwingung über dem Laststrom*
        Links: *original Messdaten getrennt nach Jahren*
        Rechts: *Messdaten mit rechnerisch kompensierten Temperatureinfluss*

Um die Aussage zu quantifizieren zeigt Abbildung 4.26 das Histogramm der Messdaten aus 2010 und 2012 im Teillastbereich. Im linken Histogramm sind Häufungen der tatsächlichen gemessenen Kesselschwingungen zu sehen. Das rechte Histogramm zeigt den gleichen Datensatz nach der Temperaturkompensierung. Abbildung 4.27 zeigt den gleichen Sachverhalt, jedoch für den Volllastbereich.

Im Teillastbereich ist zu erkennen, dass sowohl mit als auch ohne Temperaturkompensierung für das Jahr 2012 höhere Signalleistungen auftreten als 2010 (im Bereich 0,05 - 0,1 m/s²). Im Gegensatz dazu zeigen die Histogramme des Volllastbereichs deutliche Unterschiede zwischen der originalen und der kompensierten Verteilung. Mit Temperaturkompensation liegen die Verteilungen von 2010 und 2012 im gleichen Bereich der Signalleistung und vergleichbarer Häufung.

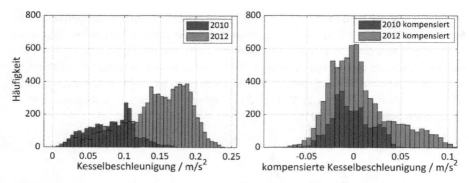

Abbildung 4.26   Häufigkeitsverteilung der gemessenen Kesselbeschleunigungen
                  im Teillastbereich
                  Links: originaler Messdatensatz
                  Rechts: temperaturkompensierte Darstellung

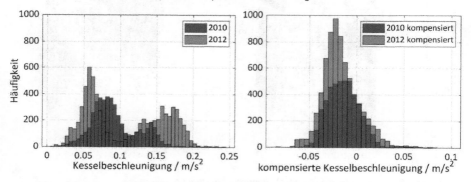

Abbildung 4.27   Häufigkeitsverteilung der gemessenen Kesselbeschleunigungen
                  im Volllastbereich
                  Links: originaler Messdatensatz
                  Rechts: temperaturkompensierte Darstellung

Die Abweichungen der Originalverteilung bei Nennlast sind daher auf den Einfluss
der Temperatur zurückzuführen. Die Betrachtung für den Teillastbereich deutet darauf hin, dass die bleibende Abweichung auch nach der Kompensierung nicht auf
den Einfluss der Temperatur zurückgeführt werden kann.

Werden alle Abhängigkeiten gemeinsam betrachtet so kann festgestellt werden, dass sich das Schwingungsverhalten (der Grundfrequenz) im Jahr 2012 gegenüber den Vorjahren geändert hat. Die Änderungen treten nicht unabhängig von Last und Temperatur auf, sondern finden sich nur in einem bestimmten Temperaturbereich (23 °C - 35 °C) und nur unter bestimmten Lastbedingungen (Teillastbereich von 270 A - 580 A, Lastfaktor von 35% - 80%) statt. Aufgrund der hohen Streuung der Einzelmessungen sind diese Veränderungen erst durch die statistische Auswertung über ausreichend große Datenmengen durch Langzeitmessungen erfassbar. Einzelmessungen haben wenig Aussagekraft und sind nur schwer zu bewerten bzw. zu interpretieren.

Der betrachtete Transformator ist zum Abschluss der Untersuchungen immer noch im Betrieb. Daher ist es noch nicht möglich, durch eine Demontage nach der Ausserbetriebsetzung den Grund für die veränderten Betriebsschwingungen zu identifizieren.

4.8 Zusammenfassung der unterschiedlichen Einflussfaktoren

Die Messungen mechanischer Schwingungen werden von mehreren Faktoren beeinflusst, die bei der Analyse und Bewertung der Messsignale berücksichtigt werden müssen. Eine Unterscheidung der Einflüsse ist in zwei Kategorien möglich. Zum einen können messtechnische Einflüsse auftreten. Zum anderen sind betriebliche Einflüsse zu nennen, die den mechanischen Zustand des Transformators und damit dessen Schwingungsverhalten beeinflussen.

Bei allen untersuchten Betriebsmitteln ist es ausreichend, die mechanische Grundfrequenz zu betrachten. Harmonische Anteile weisen im Allgemeinen eine zufällige Korrelation auf. Daher sind sie für Langzeituntersuchungen und Monitoring wenig geeignet.

Messtechnische Einflüsse

Die Position des Beschleunigungssensors auf dem Kessel beeinflusst wesentlich die dort messbare Signalleistung. Ebenso hängt der Frequenzgang der Messung maßgeblich von der Sensorposition ab. An einem Transformator können daher verschiedene Messpunkte nur bedingt miteinander verglichen werden. Ein direkter Pegelvergleich ist nicht möglich. Allerdings zeigen parallel durchgeführte Messungen über der Zeit ein prinzipiell vergleichbares Verhalten der Grundschwingungen in Abhängigkeit der weiteren Einflussgrößen. Betriebliche Einflüsse können daher auch von unterschiedlichen Messpunkten gegeneinander abgeglichen werden.

Harmonische Anteile sind stark von der Sensorposition abhängig und können nicht verglichen werden. Im Hinblick auf die praktische Durchführung von Schwingungsmessungen bedeutet das, dass Messungen an festen Positionen durchgeführt werden sollten, und der Messaufbau gut dokumentiert werden muss.

Nebenbemerkung: Das durch überlagerte Gleichströme prinzipiell andere Frequenzverhalten mechanischer Schwingungen kann unabhängig von der Sensorposition gemessen werden, siehe Kapitel 5. Die Detektion der zusätzlich entstehenden Frequenzanteile ist in allen untersuchten Fällen an beliebiger Sensorposition möglich. Aus deren Vorhandensein kann als hinreichendes Kriterium auch die Präsenz eines überlagerten Gleichstroms abgeleitet werden.

Betriebliche Einflüsse

Aus betrieblicher Sicht existieren drei Einflussgrößen für das mechanische Schwingungsverhalten: Die Temperatur, der Laststrom und die Stufenschalterstellung. Der Laststrom erzeugt durch die Lorenzkräfte auf die stromdurchflossenen Wicklungen mechanische Schwingungen; die Temperatur verändert durch materialabhängige Ausdehnungskoeffizienten die Einspannkräfte.

Die Stufenschalterstellung hat in den betrachteten Langzeitmessungen keinen Einfluss auf die Signalleistung der gemessenen Schwingungen. Grund hierfür ist die Regelung des Stufenschalters auf konstante Spannung und damit konstanten Fluss.

Hinsichtlich der Einflüsse der Temperatur und des Laststroms kann kein allgemeingültiger Zusammenhang zum mechanischen Schwingungsverhalten formuliert werden. In den untersuchten Langzeitmessungen zeigt ein Transformator eine lineare Abhängigkeit der mechanischen Schwingungen von der Temperatur. Die anderen beiden weisen keinerlei Korrelation zwischen Schwingungsverhalten und Temperatur auf. Stattdessen zeigen diese Transformatoren ein lastabhängiges Verhalten, wie es aus den theoretischen Überlegungen (siehe Kapitel 2.1.3) zu erwarten wäre. Dabei kann an dem untersuchten 525 MVA Transformator eine quadratische Abhängigkeit vom Laststrom gezeigt werden. An dem kleineren 180 MVA Netzkuppeltransformator ist eine lineare Abhängigkeit erkennbar, die jedoch bei steigender Last auch eine quadratische Näherung zulässt.

Praktische Anwendung von Monitoring mechanischer Schwingungen

Für die praktische Nutzung von mechanischen Schwingungen ergeben sich aus den aufgeführten Punkten bestimmte Randbedingungen, die für eine sinnvolle Langzeit-überwachung berücksichtigt werden müssen. Dann können mechanische Änderungen trotz Überlagerungen weiterer Effekte zu detektierbaren Änderungen des Schwingungsverhalten führen.

Ähnlich einer FRA- Messung ist das Schwingungsmonitoring als Fingerabdruck eines Transformators zu verstehen, mit dem sich über Zeitreihenauswertungen Veränderungen erkennen lassen. Das Schwingungsverhalten eines Transformatortyps ist individuell, so dass ein Vergleich nicht baugleicher Transformatoren im Allgemeinen nicht möglich ist.

Da üblicherweise Schwingungen auf dem Kessel gemessen werden, darf die Messposition über die Beobachtungsdauer nicht verändert werden. Schwingungsmessungen an zwei unterschiedlichen Positionen eines Transformators sind im Allgemeinen weder hinsichtlich der Signalpegel noch des Frequenzgangs vergleichbar.

Aufgrund der Abhängigkeit mechanischer Schwingungen vom aktuellen Betriebszustand eines Transformators muss ein Monitoring immer auch die Betriebsparameter Laststrom bzw. Lastfaktor und Öltemperatur aufzeichnen. Wie die Langzeituntersuchungen zeigen, ist dies für jeden Transformator unterschiedlich. Daher müssen diese Daten immer mit erhoben werden. Eine Extrapolation aus bestehenden Betriebsdatensätzen ist im Allgemeinen nicht möglich.

Werden diese Randbedingungen beachtet, so können mechanische Veränderungen über der Zeit durch statistische Bewertungen erkannt werden, wenn gegebenfalls Einflüsse der Temperatur und der Last in geeigneter Weise rechnerisch kompensiert werden.

5 Schwingungen von Transformatoren unter Gleichstrombeeinflussung

Gleichanteile in einzelnen Phasenströmen können durch verschiedene Ursachen in Energienetzen auftreten. Wenn Gleichstromkomponenten durch die Wicklungen eines Transformators fließen entsteht aufgrund des Ampère'schen Gesetzes eine Gleichkomponente der magnetischen Flussdichte, was zu einer Veränderung des magnetischen Arbeitspunktes des Kernbleches führt. Als Folge daraus kommt es zu Änderungen des mechanischen Schwingungsverhaltens und des Geräuschverhaltens, siehe Kapitel 2.1.1. Ist der Gleichflussanteil ausreichend groß, können Sättigungseffekte auftreten, die zu einer zeitlich veränderlichen Impedanz der Transformatorphasen und damit zu Netzrückwirkungen und einem veränderlichen Blindleistungsbedarf der Betriebsmittel führen. In diesem Kapitel werden zunächst die Ursachen und die Quellen von Gleichströmen vorgestellt. Die Auswirkungen von DC hinsichtlich mechanischer Schwingungen, Geräuschen und dem Lastverhalten werden unter Laborbedingungen an 3- und 5-Schenkeltransformatoren untersucht.

5.1 Ursachen von Gleichströmen in Transformatoren

Im Folgenden werden die bekanntesten Quellen für ungewollte Gleichströme im AC-Übertragungsnetz beschrieben. Im Wesentlichen kann zwischen drei physikalisch verschiedenen Kopplungsarten für Gleichströme unterschieden werden, die in Übertragungsnetzen auftreten:

- Bei der galvanischen Einkopplung fließen Gleichströme durch den geerdeten Sternpunkt von einem Transformator in das Energienetz und verlassen das Energienetz auf gleichem Wege, siehe Kapitel 5.1.1.

- Bei geomagnetisch induzierten Strömen handelt es sich streng genommen nicht um Gleichströme, sondern um einen induzierten Wechselstrom, dessen Frequenz jedoch im Vergleich zur Netzfrequenz so gering ist, dass er häufig als Quasi-Gleichstrom bezeichnet wird, siehe Kapitel 5.1.2.

- Die dritte Kopplungsart entsteht, wenn sich Freileitungssysteme von konventionellen AC-Übertragungsstrecken und Hochspannungsgleichstromübertragungs-(HGÜ)-Systemen in unmittelbarer Nähe zueinander befinden. Über den kurzen Abstand weniger Meter können Ladungsträger aus dem HGÜ-System über die Luft auf Leiterseile der AC-Systeme koppeln und von dort aus durch einen Transformator über einen geerdeten Sternpunkt gegen Masse abfließen, siehe Kapitel 5.1.3.

Alle drei Effekte führen durch das Ampère'sche Gesetz zu einer Verschiebung des magnetischen Arbeitspunkts in den Kernblechen des Transformatoraktivteils wie es in Kapitel 2.1.2 beschrieben ist.

5.1.1 Galvanische Einkopplung in geerdete Sternpunkte

Bei galvanischen Einkopplungen existieren eine oder mehrere externe Gleichstromquellen. DC-Ströme dieser Quellen können über geerdete Sternpunkte von Netzkuppeltransformatoren galvanisch in Energienetze einkoppeln. Teile des Quellenstroms fließen dann über einen Abschnitt des Netzes und verlassen diesen wieder an einem anderen Sternpunkt, wie Abbildung 5.1 im Prinzipschaltbild zeigt. Wie sich diese Maschen genau ausbilden und welche Gleichstromanteile über das Netz fließen hängt von der Quellenart und den Leitfähigkeiten der Bodenschichten im Bereich der Quelle und der Sternpunkte ab sowie vom ohmschen Widerstand der dreiphasigen Ersatzimpedanz des betrachteten Netzabschnittes. Eine aus der Praxis bekannte Quelle sind kathodische Korrosionsschutzeinrichtungen mit Opferanoden im Boden. In Kapitel 5.3.1 werden verschiedene Sternpunktmessungen aus einem 380 kV Übertragungsnetzabschnitt vorgestellt, bei denen ein Korrosionsschutz die Ursache von Gleichströmen im Energienetz ist.

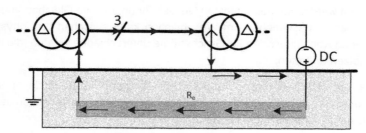

Abbildung 5.1   *Prinzipschaltbild einer galvanischen Gleichstromeinkopplung mit einer Quelle mit Tiefenelektroden*

5.1.2 Geomagnetisch induzierte Ströme

Ihren Ursprung haben geomagnetisch induzierte Ströme in der Sonne. Bei diesem Vorgang werden geladene Teilchen von der Sonnenoberfläche in den Raum als Sonnenwind abgegeben. Ein Teil trifft auf die Ionosphäre der Erde. Dadurch entstehen dort Kreisströme durch Induktion. Mit bloßem Auge ist das Phänomen in Form von Polarlichtern beobachtbar. Die ionosphärischen Kreisströme in Polnähe liegen typischer Weise in einer Höhe von ca. 100 km und können in der Größenordnung von $I > 1\,GA$ liegen [69]. Diese Kreisströme beeinflussen auch das am Erdboden messbare Magnetfeld. Die lokalen Schwankungen können Spannungsdifferenzen im Boden induzieren und in Leiterschleifen Kreisströme erzeugen [70].

Eine Leiterschleife kann beispielsweise aus Übertragungs- oder Kommunikationsleitungen und der Erde als Rückleiter aufgespannt werden. Diese ionosphärisch bedingten Magnetfelder sind seit geraumer Zeit bekannt. George Graham dokumentierte 1722 sporadische Richtungsänderungen einer Kompassnadel [71]. 1859 wurden beim Carrington-Event sprühende Funken an Telegraphenleitungen beschrieben [72]. Aber auch in jüngerer Vergangenheit konnten die Auswirkungen solche Vorgänge auf Energienetze beobachtet werden [73]. Die geläufigste Bezeichnung des Phänomens ist *GIC*, geomagnetisch induzierte Ströme (engl. Geomagnetically Induced Currents). Es kann auf überdurchschnittlich starke Sonnenaktivitäten zurückgeführt werden, die im Intervall von 9-12 Jahren gehäuft auftreten. Abbildung 5.2 links zeigt eine Aufnahme einer Sonneneruption. Rechts sind die historischen Skizzen der Sonnenflecken von Carrington abgebildet.

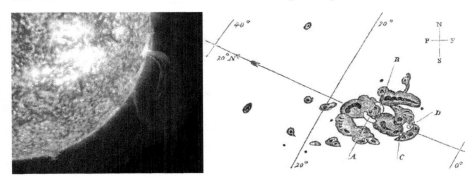

Abbildung 5.2   links: Sonneneruption, Aufnahme des Solar and Heliospheric Observatory [74] rechts: Sonnenflecken (schraffierte Flächen) und Sonneneruptionen (Markierungen A und B) aus dem Jahr 1859, Skizze von R. Carrington [72]

Die Frequenzanteile der induzierten Ströme liegen typischerweise im mHz-Bereich und sind damit niederfrequent gegenüber der Netzfrequenz $f_N = 50\,Hz,\ 60\,Hz$. Daher werden sie häufig als quasi-DC bezeichnet. Dem Wechselstrom wird ein Gleichstrom überlagert, der gemäß Kapitel 2.1.2 Rückwirkungen auf den Arbeitspunkt des geblechten Kerns haben kann. In Energienetzen sind diese Auswirkungen von GIC auf Transformatoren bekannt. In der Vergangenheit wird von mehreren Transformatorausfällen aufgrund von GIC-Events berichtet. Ein prominentes Beispiel ist der vollständige Stromausfall der kanadischen Provinz Quebec am 10. März 1989 [75]. Bereits damals wurden neben Transformatoren auch mögliche Auswirkungen auf alle Betriebsmittel mit magnetischen Kernen, also auch induktive Spannungs- und Stromwandler diskutiert [76].

Es gibt verschiedene Modelle, um die Entstehung von GIC zu beschreiben. Einen einfachen Ansatz zeigt Abbildung 5.3: Die Freileitung und der Erdboden verbinden sich durch geerdete Sternpunkte zu Induktionsflächen, die von den geomagnetischen Flüssen durchflutet werden. Die zeitliche Änderung der ionospährischen Stromdichte $\vec{J}$ führt zu einer veränderlichen magnetischen Flussdichte $\vec{B}$, welche in der Fläche A den quasi-Gleichstrom I_{GIC} induziert.

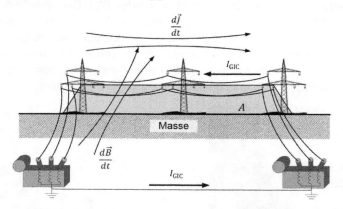

Abbildung 5.3   Geomagnetische Induktion von Strömen kleiner Frequenz in Freileitungen

Die durchflutete Fläche und damit auch der induzierte Strom vergrößern sich mit der Leitungslänge. Die tatsächliche Höhe der resultierenden Leiterströme hängt von mehreren Faktoren ab:

- Von der Stärke der Sonnenaktivität
  Unterschiedlich viele Teilchen erreichen die Ionosphäre. Daher hängen die resultierenden induzierten Ströme direkt von der Emissionsmenge der Sonne ab [77].

- Vom Abstand der Leiterschleifen zu den magnetischen Polen
  Das Erdmagnetfeld besitzt an den Polen die geringste Ausdehnung in den Weltraum. Ionosphärische Wirbelströme in Polnähe sind daher der Erdoberfläche am nächsten. Damit ist auch die Induktion in den Leiterschleifen am größten [78], [79].

- Von der Ausrichtung der Leiter
  Die größten Spannungen werden in Leitern induziert, die von Osten nach Westen gerichtet sind. Einen geringeren Einfluss haben magnetisch induzierte Ströme auf Nord-Süd-Leiter [70].
  Nebenbemerkung: Bei einer genaueren Modellbetrachtung des Induktionsvorgangs muss beachtet werden, dass die magnetischen Pole nicht mit den geografischen Polen zusammenfallen.

- Von der Leitfähigkeit der Böden
  Da die Erde den unteren Teil der Induktionsfläche repräsentiert definiert der Ersatzleitwert des Bodens den resultierenden Strom.
  Nebenbemerkung: bei heterogenen Bodenschichten kann es vorkommen, dass der Strom nicht nur an der Erdoberfläche sondern, bedingt durch das Widerstandsnetzwerk, auch durch tiefer liegende Schichten mit höherer Leitfähigkeit fließt, was wiederum die tatsächliche Induktionsfläche beeinflussen kann [80].

5.1.3 Kopplung zwischen AC- und HGÜ-Freileitungen

Im Rahmen des Netzausbaus der Übertragungsnetze in Deutschland wird als eine Option das Repowering bestehender AC-Übertragungstrassen durch HGÜ-Freileitungen in Betracht gezogen. Dabei wird in einer vorhandenen Trasse ein 380 kV AC-System durch ein HGÜ-System ersetzt. Der Mastumbau kann verglichen mit Neubauten relativ einfach umgesetzt werden und vermeidet den von weiten Teilen der Bevölkerung wenig akzeptierten Bau von zusätzlichen Freileitungstrassen. Resultierend beträgt der Abstand zwischen AC- und HGÜ-Leistungen auf einem Mast typischer Weise unter 20 m [45]. Sowohl an den AC- als auch den HGÜ-Leiterseilen entstehen durch Photoionisation und Stoßionisation Koronaeffekte. Die freien Ladungsträger in Luft können sich dem elektrischen Feld folgend entweder zum HGÜ-Leiterseil entgegengesetzten Potentials, Erdleiterseilen oder aber zum AC-System bewegen. Treffen die Ladungsträger auf AC-Seile kann die Ladung dort einkoppeln und über das AC-Netz in den nächsten Transformator mit geerdetem Sternpunkt gegen Masse abfließen [81]. Der sich ausprägende Gleichstrom hängt daher zum einen von der Generationsrate freier Ladungsträger an den HGÜ-Leiterseilen durch Korona ab und von der Kopplung zwischen HGÜ- und AC-Systemen. Eine genaue Betrachtung des physikalischen Zusammenhangs ist im Anhang aufgeführt, siehe Kapitel 7.1.

Kopplung zwischen HGÜ- und AC-Leiterseilen

Der Weg der freien Ladungsträger wird durch den Vektor des elektrischen Gesamt-
feldes $\vec{E}_{Ges}$ beschrieben, wenn Umwelteinflüsse wie Wind etc. nicht betrachtet werden. In der Literatur [82] als auch bei Feldversuchen [45] finden sich meist Untersuchungen, die den Einfluss des Wechselfeldes nicht betrachten und die AC-Leiterseile
auf Erdpotential legen. Im Folgenden soll anhand einer Feldsimulation abgeschätzt
werden, ob diese Betrachtungsart zulässig ist (Herleitung siehe Anhang, Kapitel 7.1).
Dazu wird anhand einer einfachen Geometrie der Verlauf freier Ladungsträger betrachtet. Der Aufbau besteht aus einem AC-Leiter und einem DC-Leiter in einem Abstand von $a_1 = 14\ m$ sowie einer Massefläche, die zu beiden Leitern einen Abstand
von $a_2 = 10\ m$ besitzt, siehe Abbildung 5.4. Beide Leiter haben einen Durchmesser
$d = 24\ mm$. Das Potential des DC-Leiters liegt auf $U_{DC} = 400\ kV$; das sinusförmige
Wechselfeld des AC-Leiters besitzt einen Amplitude von $\hat{U}_{AC}\ 380\ kV$ bei $f_N = 50\ Hz$.

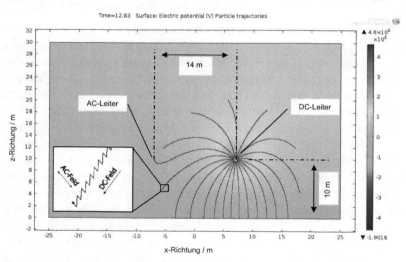

Abbildung 5.4   *Zweidimensionale Bewegungsbahnen freier Ladungsträger bei überlagerten AC-
und DC-Feldkomponenten [83]*

Die Simulation wird mit 20 freien Ladungsträgen gestartet, die sich gleichmäßig über
der Leiteroberfläche des HGÜ-Leiters verteilen. Abbildung 5.4 zeigt den zurückge-
legten Weg aller freien Ladungsträger nach 12 Sekunden [83]. Der Farbverlauf kenn-
zeichnet die Potentialverteilung. Für die makroskopische Betrachtung werden Raum-
ladungszonen nicht betrachtet.

Die Bewegungsbahnen folgen im Wesentlichen den Gradientenkurven des Gleich-
feldverlaufs der Geometrie. Ladungsträger, die unter dem DC-Leiter starten, bewegen sich nach unten in Richtung Erde. Oberhalb des DC-Leiters gibt es keine weiteren feldbeeinflussenden Potentiale, daher verlaufen die Bahnen näherungsweise
radial. Auf der linken Seite wird der Bahnverlauf durch den AC-Leiter beeinflusst, die
freien Ladungsträger wandern auf den Leiter zu und können über diesen abfließen.
Die detaillierte Bewegungsbahn ist in der Vergrößerung in Abbildung 5.4 erkennbar.
Die Hauptrichtung der freien Ladung folgt dem Gleichfeld. Der sägezahnförmige Verlauf im konkreten Beispiel ergibt sich aus der Überlagerung der Wechsel- und Gleich-
feldkomponente. Das Wechselfeld führt also lediglich zu einer zusätzlichen Schwingung, nicht jedoch zu einer Änderung der Richtung. Zusammenfassend kann die
eingangs beschriebene vereinfachte Betrachtung als zulässig eingeschätzt werden
und die Wechselkomponente darf vernachlässigt werden.

Anhand der bisher gewonnenen Erkenntnisse erfolgt eine Abschätzung der maximalen Gleichstromeinkopplung einer hybriden Mastkonfiguration anhand von Literaturwerten. Als Grundlage für eine realitätsnahe Leiteraufhängung dient die Geometrie
eines Donaumastes, siehe Abbildung 5.5. Die AC-Leiterseile befinden sich auf der
linken Seite (Viererbündel, Leiter A1-C1). Die Leiterseile auf der rechten Seite bilden
das bipolare HGÜ-System (A2, C2), wobei ein Viererbündel geerdet wird (B2) um als
Schirmung zu dienen. Für die Belegung der HGÜ-Bündel werden an A2
$U_{DC,A2} = -450\ kV$ und an C2 $U_{DC,C2} = +450\ kV$ angelegt [84]. Diese Konfiguration ist
für die Simulation etwas besser geeignet, da die Feldstärken aufgrund der Geometrie
an A2 am höchsten sind und die Einsatzfeldstärke für Korona E_{Grenz} bei negativen
Gleichfeldern etwas höher liegt (vergleiche Formel (7.1) und Tabelle 7.2).

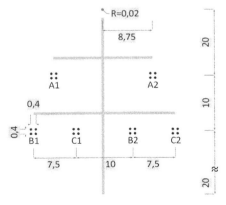

Abbildung 5.5   Querschnitt eines Donaumasts mit Bemaßung zur Abschätzung des Koppel-
gleichstorms zwischen HGÜ – und AC-System, Abmessungen in Metern

Aufgrund der abschirmenden Wirkung von A1 bzw. C1 findet in B1 keine Einkopplung statt. Die resultierenden Gleichströme in A1 bzw. C1 hängen stark von den gewählten Parametern zur Ladungsträgergeneration ab. Relevant ist die qualitative Feststellung, dass die Einkopplung in den einzelnen AC-Phasen unterschiedlich ist. Rechnerische Abschätzungen von Literaturwerten [84] liegen im Bereich der Gleichstromeinkopplung von $I_{DC,A1} = 0{,}4\,\frac{mA}{km}$ bzw. $I_{DC,C1} = 0{,}3\,\frac{mA}{km}$.

Tatsächliche praktische Messungen an hybriden Übertragungssystemen stehen noch aus. Es finden sich einzelne Langzeit-Feldversuche [45], welche als Referenz herangezogen werden können. Allerdings ist zu beachten, dass bei diesen Messungen nur die HGÜ-Leiterbündel mit Potential beaufschlagt wurden. Die AC-Leiter sind an einem Ende mit der Erdmasse verbunden. Am Massepunkt wird auch der Ableitstrom gemessen. Die Feldmessungen bestätigen die ungleiche Belastung der einzelnen Phasen mit DC und zeigen Einkopplungen von bis zu $I_{DC,max} = 9\,\frac{mA}{km}$. Der Feldversuch [45] zeigt auch, dass klimatische Effekte, insbesondere Wind und Regen, einen erheblichen Einfluss auf die Koppelströme haben: wetterabhängige Schwankungen können bis zu Faktor 5 betragen. Die Kopplung ist damit als hoch volatil anzunehmen.

Zusammenfassend kann festgestellt werden, dass durch gemeinsame Trassen von AC- und HGÜ- Systemen in direkter Nachbarschaft nennenswerte Einkopplungen auf die AC-Systeme und damit auf die ableitenden Transformatoren erwartet werden können. Dies muss bei der Betrachtung der Trassenlängen [85] berücksichtigt werden. Daraus ergeben sich DC-Einkopplungen im Bereich einiger Ampere. Hinsichtlich der Auswirkungen auf Betriebsmittel ist das als kritisch zu bewerten. Wie in Kapitel 5.2 erörtert wird, reichen bereits wesentlich kleinere Gleichströme aus, um signifikante Wechselwirkungen in betroffenen Transformatoren hervorzurufen.

5.1.4 Vergleich der verschiedenen Gleichstromeinkopplungen

Die drei beschriebenen Kopplungsarten können durch zwei Hauptunterschiede kategorisiert werden: durch die Dauer und die Größenordnung des eingekoppelten Stroms. Einkopplungen an Hybridleitungen treten dauerhaft auf, wobei Schwankungen durch Umwelteinflüsse hervorgerufen werden. Bisherige Erkenntnisse deuten darauf hin, dass die Einkopplung typischerweise im Bereich einiger Milliampere pro Kilometer Trassenlänge liegt. Für eine worst-case Abschätzung kann ausgehend von einer Trassenlänge von einigen hundert Kilometern ein resultierender Gesamtstrom in der Größenordnung einiger Ampere erwartet werden.

GIC hingegen stellen zeitlich begrenzte Vorkommnisse dar, die nicht dauerhaft aktiv sind. Dafür können allerdings hohe Ströme in die Übertragungsleitungen induziert werden, die über 100 A liegen können. Vorzugsweise sind Gebiete betroffen, die nahe den magnetischen Polen liegen. Jedoch ist anzumerken, dass beispielsweise auch im deutschen und österreichischen Übertragungsnetz zeitlich begrenzte Vorkommnisse gemessen werden können, die auf geomagnetische Einflüsse zurückzuführen sind, siehe Kapitel 5.3. Die beobachteten induktiven Einkopplungen dauern einige Minuten an; die resultierenden Gleichstromanteile (Quasi-Gleichströme) liegen im Bereich einiger Ampere.

Galvanische Einkopplungen hängen immer von lokalen Bedingungen ab. Die Größe der betroffenen Netzabschnitte als auch die Größe der Gleichstromeinkopplungen müssen einzeln betrachtet werden. Auch hier sei auf die Feldmessungen in Kapitel 5.3 verwiesen, bei der Einkopplungen von einigen Ampere auftreten.

Prinzipiell können alle vorgestellten Einkopplungsarten als potentiell kritisch bewertet werden, da für moderne Transformatoren bereits kleine Gleichströme in der Größenordnung weniger hundert Milliampere ausreichen können, um Wechselwirkungen mit dem Kern hervorzurufen. Eine detaillierte Betrachtung findet in Kapitel 5.2 statt. Tabelle 5.1 zeigt zusammenfassend eine Übersicht aller drei betrachteten Effekte.

Tabelle 5.1   *Übersicht der Gleichstromursachen und beeinflussende Parameter*

	Hybrid-Übertragungsleitung	GIC	Galvanische Kopplung
Vorkommen	Dauerhaft Beeinflussung durch Umgebungsvariablen	Intermittierend; Häufung ca. alle 11 Jahre. Dauer von Einzelevents ca. 3 - 5 Minuten.	Dauerhaft Beeinflussung durch Umgebungsvariablen
Typ der Quelle	Injizierte Ladung	Induzierte Spannung	Externe Stromquelle
Maximalwerte des resultierenden Gleichstroms je Phase	Abhängig von Trassenlänge typ. einige mA / km [45]	Volatil, I_{max} ~100 A / Phase [86]	Quellenabhängig, Praxiswert: einige Ampere
Unterschiede der einzelnen Phasen	Einkopplung von Mastgeometrie / Aufhängung abhängig; Unterschiedliche Gleichstromkomponenten möglich	Aufgespannte Induktionsflächen näherungsweise gleich groß. Stromteiler zwischen den Phasen, meist symmetrisch angenommen.	Stromteiler zwischen den Phasen, meist symmetrisch angenommen
Die Effektstärke ist abhängig von:			
der Leitungslänge	Ja (Koppelstrecke)	Ja (Induktionsfläche)	Nein (nur von der Netztopologie)
der geographischen Leitungsausrichtung (Nord-Süd / Ost-West)	Nein	Ja	Nein
dem geographischen Ort des Leitersystems	Indirekt Beeinflussung durch klimatische Verhältnisse	Ja Verstärkung in der Nähe der magnetischen Pole; Zudem ist die Leitfähigkeit der Böden zu beachten, siehe [80]	Indirekt. Lokale Leitfähigkeit der Böden
klimatischen Einflüssen (Wind, Regen, etc.)	Ja Starke Abhängigkeit [45]	Nein	Indirekt (Leitfähigkeit der Böden)

5.2 Auswirkungen von Gleichstromkomponenten auf Transformatoren

Wie in Kapitel 2.1.2 beschrieben, kann der magnetische Arbeitspunkt von Elektroblechen der Joche und Schenkel durch Gleichstrom beeinflusst werden, der zu einem überlagerten magnetischen Gleichfluss (Offset) führt. Abhängig von der Kernauslegung und dem Strom selbst kann dies soweit führen, dass im Betrieb in der positiven oder negativen Halbperiode Sättigung an den Blechen auftritt. Die bestimmenden Faktoren sind hier der Knickpunkt in der *B*-*H*-Magnetisierungskennlinie des Bleches [87] und die effektiven Querschnittsflächen der Joche und Schenkel, die als Geometriegrößen den Betrag der magnetischen Flussdichte bestimmen. Bedingt durch die Halbwellensättigung können verschiedene Effekte auftreten, die den Transformator negativ beeinflussen können und Netzrückwirkungen verursachen können [88].

Sättigt der Eisenkern, so ist die Permeabilität der Bleche nicht mehr wirksam und es gilt näherungsweise $\mu_{r,Blech} \cong 1$. Die induktive Klemmenimpedanz sinkt bis auf die Impedanz der primärseitigen Streuinduktivität ab. Dadurch steigt in starren Netzen der Wechselstrom in den gesättigten Phasen massiv an. Dieser führt zu ohmschen Verlusten in den Wicklungen, sowie zu erhöhten Eisenverlusten im Transformatorkern.

Im Falle der Kernsättigung ist auch die flussführende Eigenschaft des Kerns nicht mehr wirksam. Der durch Wechselströme eingeprägte Wechselanteil des magnetischen Flusses verlässt daher den Pfad im Transformatorkern und die Masche kann sich über das Öl, den Stahlkessel und andere Strukturen schließen, beispielsweise Zugstangen. Da anders als im Kern hier keine geblechten Elemente vorhanden sind, können sich in diesen Strukturen Wirbelströme ausbilden, was zu Heißpunkten und damit zu erhöhtem Stress von Strukturmaterial und der Öl-Papierisolation führen kann. Dies kann auch eine beschleunigte Betriebsmittelalterung bedeuten [49].

Da sich die Wicklung während der Sättigung näherungsweise wie eine Luftspule verhält, ist die Induktivität gering, der Magnetisierungsstrom hoch und damit auch der Blindleistungsbedarf, der vom Netz bereitgestellt werden muss. Aufgrund des nichtlinearen Verlaufs der Magnetisierungskennlinie ist der Anteil der Harmonischen in der Scheinleistung nicht vernachlässigbar. Eine genauere Betrachtung der Scheinleistungsanteile höherer Frequenzen findet sich in Kapitel 0. Die resultierenden Netzrückwirkungen müssen bei der Beurteilung der Versorgungssicherheit berücksichtigt werden. Auch ist zu bedenken, dass hohe Sättigungsströme den Netzschutz beeinflussen könnten.

Nebenbemerkung: Hinsichtlich der Auswirkungen auf Schutzgeräte kann auch bedeutsam sein, wie sich Gleichströme auf induktive Wandler mit Kern auswirken, die ebenfalls Sättigungseffekte zeigen können.

Wie in Kapitel 2.1.1 beschrieben, können sich Gleichstromüberlagerungen beträchtlich auf mechanische Schwingungen des Kerns und damit auch auf die abgestrahlten Betriebsgeräusche auswirken. Der Gleichfluss erzeugt zusätzliche mechanische Frequenzanteile (f_{mech} = 150 Hz, 250 Hz, etc.) und führt zu einem Anstieg der gesamten Leistung der mechanischen Schwingungen. Dadurch erhöht sich der mechanische Stress auf das Betriebsmittel und die abgestrahlten Geräusche steigen an. Als Nebeneffekt nimmt das subjektive menschliche Hörempfinden die zusätzlichen Frequenzanteile als unangenehm war, was den negativen Höreindruck meist noch verstärkt [44].

5.2.1 Unterschiede zwischen 3-Schenkel- und 5-Schenkeldesign

Aufgrund der unterschiedlichen magnetischen Flussführung bestehen wesentliche Unterschiede hinsichtlich des gleichstromabhängigen Verhaltens zwischen Transformatoren mit 3-Schenkel- und 5-Schenkeldesign, die im Folgenden zunächst theoretisch betrachtet werden. Abbildung 5.6 zeigt schematisch den Kernaufbau beider Kerndesigns im Querschnitt. Blau eingezeichnet sind die sich ausprägenden magnetischen Gleichflüsse, die durch Gleichströme in den Wicklungen entstehen. Für die Betrachtung wird davon ausgegangen, dass der Gleichfluss in allen drei Phasen den gleichen Betrag und die gleiche Richtung aufweist.

Beim 3-Schenkeltransformator können sich die Maschen der Gleichflüsse nicht über die äußeren Rückflussschenkel schließen. Die Gleichflüsse der Schenkel wirken gegeneinander. Die Gleichflüsse müssen einen alternativen Pfad wählen, um die Masche zu schließen. Dies ist nur über Streuflüsse außerhalb des Kernmaterials über Öl, Kessel und Strukturmaterialien möglich (modellhaft betrachtet ist die Gleichung der Knotenbilanz im Joch nicht lösbar ohne Streupfad). Da der Gleichfluss abhängig vom Sättigungsgrad der Schenkel nur in kleinen Bereichen durch das Kernmaterial der Hauptschenkel fließt, fallen auch die Wechselwirkungen entsprechend gering aus. Daher ist zu erwarten, dass 3-Schenkeltransformatoren unempfindlich gegenüber symmetrischen Gleichstrombedingungen sind.

In 5-Schenkeltransformatoren ist das magnetische Ersatzschaltbild um die äußeren Rückflussschenkel ohne eigene Bewicklung erweitert. Gleichflüsse können sich daher immer über einen Pfad im Kernmaterial schließen, siehe blauer Flussverlauf in Abbildung 5.6, rechts. Hinzu kommt, dass die Schleife für den Fluss des mittleren Schenkels länger ist.

Entsprechend kommt es zu größeren Wechselwirkungen im Material und entsprechenden Verschiebungen des magnetischen Arbeitspunktes und den entsprechenden Folgen. 5-Schenkeltransformatoren sind aus diesem Grund im Gegensatz zu Designs mit drei Schenkeln anfälliger gegenüber symmetrischen Gleichstrombedingungen [89]. Hinsichtlich der praktischen Relevanz ist die symmetrische Betrachtung nicht zu vernachlässigen: bei galvanischen Einkopplungen in den Sternpunkt oder GIC-getriebenen quasi-Gleichströmen sind alle Phasen gleich betroffen, wenn die Ohmschen Widerstände der Phasen vergleichbare Werte aufweisen. Da die Windungszahlen der Phasen im Transformator gleich sind, ergibt sich eine identische Durchflutung Θ in allen Phasen und somit drei identische magnetische Quellen.

Bei unsymmetrischen Gleichstromverteilungen können sich abhängig von den jeweiligen Gleichstromverhältnissen zumindest Teile des Gleichflusses einer Phase über die anderen Schenkel schließen (anschaulich ist dies wieder über die Knotenbilanz erklärbar). Bei unsymmetrischen Gleichstrombedingungen ist daher bei beiden Kerndesigns mit Wechselwirkungen zu rechnen. Unsymmetrische Bedingungen sind bei Kopplungen zwischen AC- und HGÜ-Freileitungen auf Hybridtrassen zu erwarten, vgl. Kapitel 5.1.3.

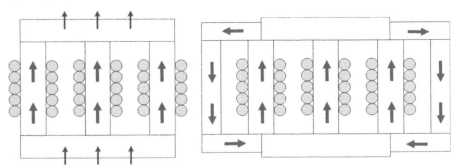

Abbildung 5.6   *Verteilung des magnetischen Gleichflusses als Kern (blau)- und Streuflüsse (rot)*
                   links: *Dreischenkeltransformator - der Fluss schließt sich über Öl & Kessel*
                   rechts: *Fünfschenkeltransformator - der Fluss schließt sich im Kern über*
                                   die Rückflussschenkel

5.2.2 Back-to-back Versuchsaufbau

Um die beschriebenen Effekte genauer zu quantifizieren wird in diesem Kapitel ein Messaufbau vorgestellt, mit dem unter Laborbedingungen die Auswirkungen von DC untersucht werden können. Eine einfache Möglichkeit einen Gleichstrom in einen Transformator bei Nennspannung zu injizieren ist die sogenannte „Back-to-back" Anordnung. Abbildung 5.7 zeigt den schematischen Versuchsaufbau. Einen praktischen Messaufbau in einem Hersteller-Prüffeld zeigt Abbildung 5.8. Für die Untersuchung werden zwei (meist baugleiche) Transformatoren über ihre Oberspannungsseite verbunden. Zu beachten ist, dass die äußeren Phasen vertauscht konnektiert werden. Transformator 1 wird auf seiner Unterspannungsseite mit einer dreiphasigen AC-Quelle verbunden. Transformator 2 befindet sich im Leerlauf, die Unterspannungsklemmen werden offen betrieben. Die AC-Quelle muss im gleichstromfreien Fall lediglich die Magnetisierungsströme beider Transformatoren bereitstellen können. Das Auslegungskriterium für die Quelle ist der Sättigungsfall bei DC-Überlagerung, bei dem hohe Wechselströme von der Quelle bereitgestellt werden müssen. Die beiden Sternpunkte der Oberspannung werden über einen DC-Stromkonstanter miteinander verbunden, wobei einer der Sternpunkte auf Massepotential gelegt wird, um einen festen Potentialbezug sicherzustellen. Dadurch herrscht am Einspeisepunkt für den Gleichstrom Erdpotential und es ist keine aufwändige Isolation gegen Hochspannung notwendig. Ggf. muss zum Schutz des DC-Stromkonstanters noch ein AC-Bypass in Form einer ausreichend großen Kapazität parallel geschaltet werden, damit mögliche AC-Ausgleichsströme den Konstanter nicht beschädigen. Da beide Transformatoren im Normalfall baugleich sind, muss beachtet werden, dass immer beide Betriebsmittel in Sättigung geraten und nur die Superposition beider gemessen werden kann.

Um für unsymmetrische Szenarien den eingeprägten Gleichstrom auf den einzelnen Phasen verteilen zu können, befinden sich in der 3-phasigen Verbindung zwischen den Transformatoren auf der Oberspannungsseite ohmsche Leistungswiderstände (R_U, R_V, R_W), deren Parallelschaltung einen Stromteiler bilden. Die ohmschen Wicklungswiderstände werden für die Auslegung des Stromteilers mit berücksichtigt. Da nur die Verhältnisse wichtig sind, können die Betragswerte möglichst klein gewählt werden, um die Wirkverluste und damit die Wärmeentwicklung im Messaufbau zu minimieren.

Spannungsmessung

Die Spannungsmessung zwischen den Transformatoren erfolgt über kapazitive Teiler, entweder über den in die Durchführung eingebauten kapazitiven Messbelag und eine weitere Kapazität in Form eines Ankoppel-Vierpols (bei 380 kV Durchführungen) oder durch bestehende kapazitive Teiler (für Versuche mit 110 kV Transformatoren).

Strommessung

Da die Gleich- und die Wechselströme je Phase gemessen werden, können keine konventionellen induktiven Stromwandler eingesetzt werden. Stattdessen wird je Phase ein Shuntmesswiderstand mit $R_{shunt} = 0,1\ \Omega$ in Serie zu den Stromteilerwiderständen R_U, R_V, R_W geschalten. Deren Werte liegen in der Größenordnung von wenigen Ohm. Der Spannungsabfall über den Widerstand wird durch eine Batterie gespeiste Analogschaltung verstärkt, digitalisiert und über Lichtwellenleiter galvanisch entkoppelt an die Messtechnik auf Erdpotential übertragen.

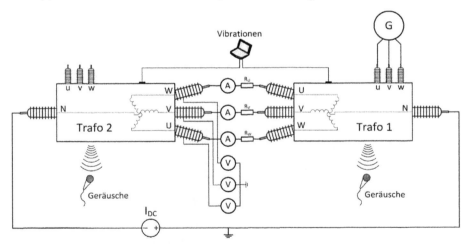

Abbildung 5.7   *Back-to-back Versuchsaufbau mit zwei baugleichen Leistungstransformatoren;*
    DC-Einspeisung über die Sternpunkte und Messung der Betriebsparameter

Schwingungsmessungen

Um ein möglichst starkes Messsignal zu erhalten, werden die Beschleunigungssensoren auf Kesselflächen mit geringer Versteifung befestigt. Bei den durchgeführten Versuchen wird an jedem Transformator ein Sensor installiert.

Um das gesamte Schwingungsverhalten beider Transformatoren mit den abgestrahlten Geräuschen besser vergleichen zu können, werden die Schwingungsmessungen von beiden Transformatorsignalen gemittelt.

Gleichung (5.1) zeigt die Mittelwertsberechnung, Normierung und anschließende Logarithmierung der Signalleistung L_p der Schwingung. Die Normierung bezieht sich auf die Signalleistung der Schwingungen ohne Gleichstromüberlagerung (Transformatorleerlauf), so dass direkt die Zunahme der Signalleistung erkennbar ist

$$L_\mathrm{p} = 20 \cdot \log\left(\frac{{}^{V_{T1}}\!/_{V_{T1,N}} + {}^{V_{T2}}\!/_{V_{T2,N}}}{2}\right) \tag{5.1}$$

V_{T1} Signalleistung der Schwingung an Transformator 1
$V_{T1,N}$ Signalleistung der Schwingung an Transformator 1 ohne DC (Referenz)
V_{T2} Signalleistung der Schwingung an Transformator 2
$V_{T2,N}$ Signalleistung Schwingung an Transformator 2 ohne DC (Referenz)

Abbildung 5.8   Beispiel eines Back-to-Back Aufbaus mit zwei baugleichen Netzkuppeltransformatoren (5-Schenkeltransformatoren) in einem Hersteller-Prüffeld

5.2.3 Leistungsbetrachtung in Anlehnung an IEEE 1459-2010

Die oberspannungsseitigen Ströme und Spannungen weisen aufgrund der Kernsättigung keinen sinusförmigen Verlauf auf [90]. Vielmehr handelt es sich bei den Phasenströmen um eine Überlagerung aus unterschiedlichen Frequenzen und dem Gleichanteil. Dadurch ist es für eine Leistungsbetrachtung nicht ausreichend, lediglich die Blind- und Wirkleistungskomponenten bei Nennfrequenz zu berücksichtigen. Harmonische Anteile beider Komponenten können einen erheblichen Anteil der gesamten Scheinleistung verursachen. Daher wird für die Leistungsbetrachtung die Norm IEEE 1459-2010 *Standard Definitions for the Measurement of Electric Power Quantities Under Sinusoidal, Nonsinusoidal, Balanced, or Unbalanced Conditions* herangezogen [91]. Die Norm gilt für periodische Signale, berücksichtigt allerdings nicht externe überlagerte Gleichstromanteile. Da die Gleichstromquelle selbst keine signifikanten Leistungsanteile bereitstellt, sondern nur indirekt durch die Verschiebung des magnetischen Arbeitspunkts des Kerns den Leistungsbedarf des Transformators ändert, muss diese für die Berechnung der Leistungsbilanz zuvor herausgerechnet werden. Um die Auswirkungen und Größenordnung einer fehlerhaften Berechnung mit Gleichstrom abzuschätzen, wird nachfolgend eine Beispielrechnung mit und ohne DC-Komponente gezeigt. Dafür wird eine Messung betrachtet, bei der dem Wechselstrom einer Phase ein Gleichanteil von ca. $I_{DC} = 3\,\text{A}$ überlagert ist. Abbildung 5.9 zeigt im oberen Diagramm über zwei Netzperioden den Verlauf der Spannung (linke Ordinate) und das Zeitsignal des Phasenstroms (rechte Ordinate).

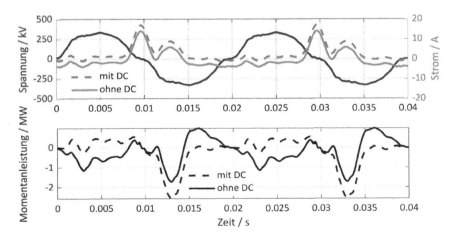

Abbildung 5.9   *Oben: Zeitlicher Verlauf der Phasenspannung (blau) und des Phasenstroms (rot) an einem Transformator mit Kernsättigung durch DC*
unten: Resultierende berechnete Momentanleistung. Für eine korrekte Berechnung muss der Gleichanteil abgezogen werden

Dabei ist die tatsächliche Messung gestrichelt dargestellt, die durchgängig geplottete Linie zeigt die Strommessung nachdem der DC abgezogen wurde. Die beiden Stromamplituden sind auf die Back-to-back Schaltung zurück zu führen und repräsentieren den Magnetisierungsstrom je eines Transformators.

Das untere Diagramm verdeutlicht den Unterschied zwischen einer Leistungsberechnung mit und ohne Gleichstrom. Dargestellt ist der Momentanleidtungsbezug von Transformator 2 über der Zeit mit Gleichstromkomponente (falsch, strichlierter Graph) und einmal nur mit den Wechselanteilen des Stroms, die tatsächlich von der speisenden AC-Quelle bereitgestellt werden (richtig). Die berechneten Kenndaten sind in Tabelle 5.2 zusammengefasst. Die Berechnung basiert auf der Betrachtung der Leistungskomponenten gemäß [91], die im Folgenden genauer erläutert wird. Wie die Tabellenwerte zeigen, wird die Scheinleistung deutlich überschätzt (um ca. 20%), wenn der Gleichanteil nicht herausgerechnet wird. Ebenso ist der Effektivwert des Stromes zwar nicht prinzipiell falsch berechnet, jedoch irreführend.

Tabelle 5.2   *Beispiel für die Scheinleistung mit und ohne Berücksichtigung des Gleichstromanteils (Scheinleistung aus Messungen ermittelt)*

U_{eff}	232,79 kV
$I_{\text{eff+DC}}$	5,39 A
I_{eff}	4,49 A
$S_{\text{AC+DC}}$	1,25 MVA
S_{AC}	1,05 MVA

Komponentenweise Betrachtung der Leistung

Die Betrachtung der Leistungskomponenten erfolgt getrennt nach dem Grundfrequenzanteil und allen anderen (meist harmonischen) Frequenzanteilen. Die Zeitsignale für Spannung und Strom setzen sich aus einem Signal mit der Nennfrequenz (u_1, i_1) zusammen und einem Signal, welches alle anderen Frequenzanteile vereint ($u_{\text{h}}, i_{\text{h}}$), siehe Gleichungen (5.2) und (5.5). $U_1, U_{\text{h}}, I_1, I_{\text{h}}$ sind die Effektivwerte der harmonischen Spannungs- und Stromkomponenten. Hinzu kommen die Gleichanteile U_0 und I_0. Nach Norm werden diese den Anteilen u_h und i_h hinzugerechnet, da sie nicht gesondert behandelt werden. Im späteren Verlauf dieser Betrachtung wird daher von der Norm abgewichen und alle Gleichanteile vor der Leistungsberechnung aus den Signalen abgezogen.

$$u = u_1 + u_{\text{h}} \tag{5.2}$$

$$u_1 = \sqrt{2}\, U_1 \cdot \sin(\omega_1 t - \alpha_1) \tag{5.3}$$

$$u_h = U_0 + \sqrt{2} \sum_{h \neq 1} U_h \cdot \sin(\omega_h t - \alpha_h) \tag{5.4}$$

$$i = i_1 + i_h \tag{5.5}$$

$$i_1 = \sqrt{2}\, I_1 \cdot \sin(\omega_1 t - \beta_1) \tag{5.6}$$

$$i_h = I_0 + \sqrt{2} \sum_{h \neq 1} I_h \cdot \sin(\omega_h t - \beta_h) \tag{5.7}$$

Da sich die Leistungsanteile nur quadratisch addieren lassen, werden im Folgenden die Effektivwerte der Ströme und Spannungen quadratisch angegeben [91].

$$U^2 = \frac{1}{nT} \int_{\tau}^{\tau+nT} u(t)^2 \cdot dt = U_1{}^2 + U_H{}^2 \tag{5.8}$$

$$I^2 = \frac{1}{kT} \int_{\tau}^{\tau+kT} i(t)^2 \cdot dt = I_1{}^2 + I_H{}^2 \tag{5.9}$$

$$U_H{}^2 = U_0{}^2 + \sum_{h \neq 1} U_h{}^2 = U^2 - U_1{}^2 \tag{5.10}$$

$$I_H{}^2 = I_0{}^2 + \sum_{h \neq 1} I_h{}^2 = I^2 - I_1{}^2 \tag{5.11}$$

T Periodendauer der Nennfrequenz

Abweichend von den Normdefinitionen in Gleichungen (5.8) bis (5.11) werden im nächsten Schritt die Gleichanteile als eigene Größe definiert und nicht mehr den harmonischen Anteilen hinzugerechnet. Daraus ergeben sich die erweiterten Gleichungen aus (5.2) bzw. (5.5) der Zeitsignale gemäß:

$$u = U_0 + u_1 + u_h \tag{5.12}$$

$$i = I_0 + i_1 + i_h \tag{5.13}$$

Entsprechend ergeben sich die neuen Definitionen für die Effektivwerte der harmonischen Anteile $U'_H{}^2$ und $I'_H{}^2$ ohne Gleichanteil.

$$U^2 = \frac{1}{kT} \int_{\tau}^{\tau+kT} u^2 \cdot dt = U_0{}^2 + U_1{}^2 + U_H{}^2 \tag{5.14}$$

$$I^2 = \frac{1}{kT} \int_{\tau}^{\tau+kT} i^2 \cdot dt = I_0{}^2 + I_1{}^2 + I_H{}^2 \tag{5.15}$$

$$U'_{\mathrm{H}}{}^2 = \sum_{h \neq 1} U_h{}^2 = U^2 - U_1{}^2 \qquad (5.16)$$

$$I'_{\mathrm{H}}{}^2 = \sum_{h \neq 1} I_h{}^2 = I^2 - I_1{}^2 \qquad (5.17)$$

Mithilfe der Effektivwerte kann die gesamte übertragene Scheinleistung S berechnet werden. Diese kann in die Anteile S_1 für die Nennfrequenzanteile und S_{H} für alle weiteren Frequenzanteile ohne Gleichstrom aufgeteilt werden.

$$S = U \cdot I \qquad (5.18)$$

$$S_1 = U_1 \cdot I_1 \qquad (5.19)$$

$$|S_{\mathrm{H}}| = \sqrt{S^2 - S_0{}^2 - S_1{}^2} \qquad (5.20)$$

Der gesamte Scheinleistungsbedarf kann in seine einzelnen Komponenten zerlegt werden [91].

$$S^2 = (UI)^2 = \left(U_0{}^2 + U_1{}^2 + U'_{\mathrm{H}}{}^2\right) \cdot \left(I_0{}^2 + I_1{}^2 + I'_{\mathrm{H}}{}^2\right) \qquad (5.21)$$

$$\begin{aligned} S^2 = {} & (U_0 I_0)^2 + (U_0 I_1)^2 + (U_0 I'_{\mathrm{H}})^2 + (U_1 I_0)^2 + (U'_{\mathrm{H}} I_0)^2 \\ & + (U_1 I_1)^2 + (U_1 I'_{\mathrm{H}})^2 + (U'_{\mathrm{H}} I_1)^2 + (U'_{\mathrm{H}} I'_{\mathrm{H}})^2 \end{aligned} \qquad (5.22)$$

$$\begin{aligned} S^2 = {} & S_0{}^2 + G_{\mathrm{U}1}{}^2 + G_{\mathrm{UH}}{}^2 + G_{I1}{}^2 + G_{I\mathrm{H}}{}^2 \\ & + S_1{}^2 + D_I{}^2 + D_{\mathrm{U}}{}^2 + S_{\mathrm{H}}{}^2 \end{aligned} \qquad (5.23)$$

S_0 Scheinleistung abhängig von den Gleichanteilen von Strom und Spannung

G_{U1} Scheinleistung hervorgerufen durch Gleichspannung und Strom bei Nennfrequenz

G_{UH} Scheinleistung hervorgerufen durch Gleichspannung und harmonische Stromkomponenten

G_{I1} Scheinleistung hervorgerufen durch Spannung bei Nennfrequenz und Gleichstrom

G_{IH} Scheinleistung hervorgerufen durch harmonische Spannungskomponenten und Gleichstrom

S_1 Scheinleistungskomponenten der Nennfrequenz, siehe Gleichung (5.19)

D_I Scheinleistung hervorgerufen durch Spannung bei Nennfrequenz und harmonische Stromkomponenten

D_U Scheinleistung hervorgerufen durch harmonische Spannungskomponenten und Ströme bei Nennfrequenz

S_H Scheinleistung, die nur durch harmonische Spannungskomponenten und harmonische Stromkomponenten hervorgerufen wird.

Durch die Trennung der Gleichanteil- und der harmonischen Komponenten kann die Scheinleistung nun berechnet werden. Für die Auswertung der Prüffeldmessungen im nächsten Kapitel werden die Zeitsignale der Ströme und Spannungen mittels FFT in den Frequenzbereich überführt. Nach obiger Definition finden die Berechnungen der einzelnen Scheinleistungskomponenten und die der Gesamtscheinleistung statt.

Die komponentenweise Betrachtung der Scheinleistung kann auch für die Wirkleistung angewandt werden. Die Gesamtwirkleistung besteht aus dem Gleichanteil P_0 (welcher der Scheinleistung S_0 entspricht), den Wirkleistungsanteilen bei Nennfrequenz P_1 und den Wirkleistungskomponenten der Harmonischen P_H, siehe Gleichung (5.24). Für die Berechnung wird neben den Effektivwerten bei jeder Frequenz auch die Phasendifferenz $\theta_h = \beta_h - \alpha_h$ der einzelnen Frequenzen benötigt.

$$P = P_0 + P_1 + P_H \tag{5.24}$$

$$P_0 = U_0 \cdot I_0, \text{ wobei gilt } P_0 = S_0 \tag{5.25}$$

$$P_1 = U_1 \cdot I_1 \cdot \cos\theta_1 \tag{5.26}$$

$$P_H = \sum_{h\neq1} U'_h \cdot I'_h \cdot \cos\theta_h \tag{5.27}$$

Alle Anteile der Scheinleistung, die keine Wirkleistung darstellen, setzen sich aus der bekannten Blindleistungskomponente Q_1 bei Netzfrequenz und allen harmonischen Komponenten zusammen, wobei zwischen harmonischen Anteilen unterschieden werden muss, bei der Spannung und Strom die gleiche (Q_H) oder unterschiedliche Frequenzen besitzen (Q_{rest}), analog zu Gleichung (5.23). Die Gesamtheit der Nichtwirkleistungsanteile der Scheinleistung wird als Nonactive Power N bezeichnet [91]

$$|N| = \sqrt{S^2 - P^2} = Q_1 + Q_H + Q_{rest} \tag{5.28}$$

Die Blindleistung Q_1 der Nennfrequenzanteile lässt sich entweder anhand der Phasendifferenz θ_1 oder aus dem quadratischen Zusammenhang zwischen S_1, P_1 und Q_1 berechnen. Für den Fall von rein sinusförmigen Strömen und Spannungen gilt $N = Q_1$.

$$Q_1 = U_1 \cdot I_1 \cdot \sin\theta_1 \tag{5.29}$$

Analog zu Berechnung der nichtnennfrequenzbezogenen Wirkleistung P_H erfolgt auch die Berechnung der Nichtwirkleistung der Nichtnennfrequenzen Q_H:

$$Q_H = \sum_{h \neq 1} U'_h \cdot I'_h \cdot \sin \theta_h \tag{5.30}$$

5.2.4 Beeinflussung von 5-Schenkeltransformatoren durch Gleichströme

Für die Untersuchung stehen zwei baugleiche 350 MVA, 380 kV / 110 kV / 30 kV Netzkuppeltransformatoren zur Verfügung, die gemäß Kapitel 5.2.2 back-to-back geschaltet werden. Der durchschnittliche Magnetisierungsstrom einer Phase liegt bei $I_{mag} = 192$ mA. Die Messungen werden in einem Prüflabor eines Transformatorherstellers durchgeführt. Gespeist wird der Aufbau über die 30 kV Tertiärwicklung des ersten Transformators. Quelle ist ein Motor-Generatorsatz, der als rückwirkungsfreie Quelle betrachtet werden kann und nicht durch Sättigungseffekte o.ä. beeinflusst wird. Betrachtet werden zwei Szenarien: Im ersten werden die Einflüsse symmetrischer Gleichstromverteilungen betrachtet. Das zweite Szenario untersucht unsymmetrische Gleichstromverteilungen.

Symmetrische Gleichstromverteilung

Für die symmetrischen Untersuchungen befinden sich nur die Shuntwiderstände zur Strommessung in der 380 kV Verbindung zwischen den Transformatoren. Tabelle 5.3 zeigt die in dieser Messreihe angefahrenen Gleichströme im Sternpunkt, pro Phase und das Verhältnis zwischen Magnetisierungsstrom und Gleichstrom. Beispielhaft ist der Verlauf der Phasenströme der Oberspannungsseite über zwei Perioden in Abbildung 5.10 gezeigt. Der eingeprägte Gleichstrom im Sternpunkt beträgt hier $I_{DC,Stern} = 3$ A. Die Gleichstromanteile sind aus den Mittelwerten der Phasenströme berechnet und strichliert abgebildet. Durch den Gleichstrom treten deutliche Sättigungseffekte auf, die zu einem sprunghaften Anstieg des Wechselstromes führen. Aufgrund des Einflusses der Sättigung ist ein sinusförmiger Verlauf der Ströme nicht mehr erkennbar: die Ströme liegen deutlich über dem normalen Magnetisierungsstrom. Auch ist erkennbar, dass sich die äußeren Phasenströme (U, W) ähnlich verhalten und der mittlere Phasenstrom (V) von diesem Verlauf deutlich abweicht. Die Unterschiede rühren von den wechselseitigen Beeinflussungen der Phasen über die magnetische Kopplung des Kerns her.

Tabelle 5.3   *Eingeprägte Ströme für die Untersuchung symmetrischer Gleichstromverteilungen*

DC im Stern-punkt	DC pro Phase	I_{DC}/I_{mag}
0 A	0 A	0
0,3 A	0,1 A	0,52
0,6 A	0,2 A	1,04
0,9 A	0,3 A	1,56
1,2 A	0,4 A	2,08
1,5 A	0,5 A	2,59
1,8 A	0,6 A	3,12
2,1 A	0,7 A	3,63
2,4 A	0,8 A	4,16
2,7 A	0,9 A	4,67
3 A	1 A	5,19
4,5 A	1,5 A	7,79
6 A	2 A	10,38
9 A	3 A	15,58

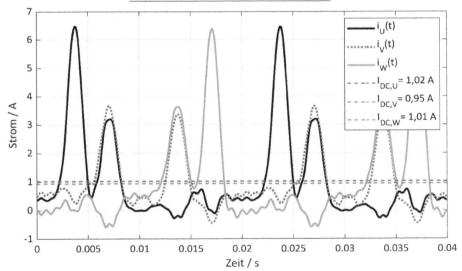

Abbildung 5.10   *Phasenströme über der Zeit bei symmetrischer DC-Verteilung und $I_{DC,Stern} = 3\ A$*

Anhand der in Kapitel 0 eingeführten Leistungsberechnung werden die Verluste und der gesamte Scheinleistungsbedarf ermittelt. Abbildung 5.11 zeigt die gesamte Schein-, Wirk- und Nichtwirkleistung (oberspannungsseitig) der Versuchsreihe bei steigendem Gleichstrom. Erkennbar ist ein linearer Zusammenhang zwischen dem Gleichstrom und dem Scheinleistungsbedarf ab Gleichströmen von ca. $I_{DC,Stern} \approx 1\ A$.

Die Zunahme der Scheinleistung S und insbesondere der harmonischen Anteile der Nichtwirkleistung N müssen kritisch begutachtet werden. Der signifikante Anstieg des Leistungsbedarfs kann zu unerwünschten Netzrückwirkungen führen, wenn das angrenzende Netz nicht als starr angesehen werden darf.

Bei genauerer Betrachtung der Wirkleistungsverluste ist bereits bei kleinen Gleichströmen $I_{DC,Stern} < I_{mag}$ ein Anstieg der Verluste zu verzeichnen. Beim größten eingeprägten Gleichstrom mit $I_{DC,Stern} = 9\,A$ beträgt die Wirkleistung P fast $150\,\%$ der Leerlaufverluste.

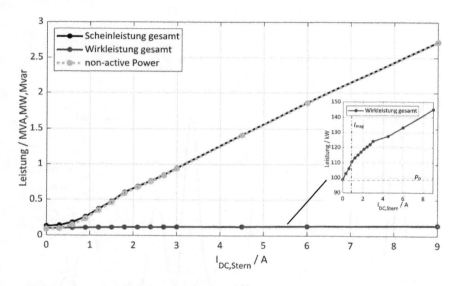

Abbildung 5.11   Scheinleistung S_V, Wirkleistung P und Nichtscheinleistung N über dem eingespeisten Gleichstrom bei symmetrischer Gleichstromverteilung
Vergrößerung: Detailansicht des Verlaufes der Wirkleistung P in kW

Ein Teil der Verluste wird aufgrund der Magnetostriktion in mechanische Schwingungen und damit Geräusche umgesetzt. Abbildung 5.12 a) zeigt den gemessenen mittleren Schalldruck der Umlaufmessung nach [53] und die normierten und gemittelten mechanischen Schwingungen (Definition siehe Kapitel 5.2.2) in Abhängigkeit des eingeprägten Gleichstromes als Vielfaches des Magnetisierungsstroms eines Transformtors. Alle Messungen sind im eingeschwungenen Zustand ermittelt, nachdem sich nach Versuchsbeginn keine Änderungen mehr in der Leistungsmessung und in den Schwingungen zeigen. Dabei zeigt sich, dass das Verhalten der mechanischen Schwingungen mit nur kleinen Abweichungen mit der Zunahme der Geräusche übereinstimmt.

Aus der Änderung der mechanischen Schwingungen kann daher auf die Auswirkungen auf das Geräuschverhalten geschlossen werden. Bereits bei den kleinsten in dieser Versuchsreihe vorkommenden Gleichströmen ist eine erhebliche Zunahme beider Größen erkennbar. Die logarithmisch dargestellten Größen sind über dem steigenden Gleichstrom zunächst linear, solange der Kern noch nicht voll gesättigt ist. Steigt der Gleichstrom noch weiter an, so flacht der Kurvenverlauf der Vibrationen ab und steigt dann mit geringerem Gradienten weiter. Die weitere Zunahme der Schwingungen auch im Sättigungsbereich kann durch die Lorenzkräfte, die auf die Wicklungspakete wirken, erklärt werden (siehe Kapitel 2.1.3). Diese steigen mit dem in Sättigung ansteigenden Strom näherungsweise linear an, wenn angenommen wird, dass $|\hat{B}|$ konstant bleibt. Der minimale Rückgang der Schallmessung bei $I_{DC,Stern}/I_{mag,Gesamt} = 7{,}8$ kann durch Messungenauigkeiten der Umlaufmessung erklärt werden.

In Abbildung 5.12 b) wird zwischen der Summe der geraden Frequenzanteilen (100 Hz, 200 Hz, 300 Hz, …) und den summierten ungeraden Frequenzanteilen (150 Hz, 250 Hz, …) der mechanischen Schwingung differenziert. Aufgrund des hohen Rauschlevels sind die 50 Hz nicht berücksichtigt.

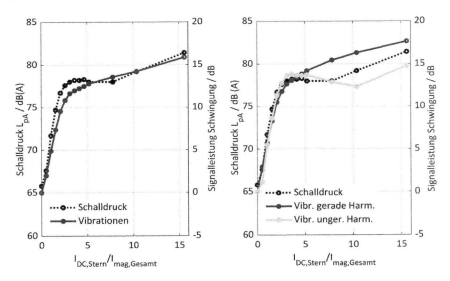

Abbildung 5.12   *Vergleich zwischen Geräuschen und Vibrationen bei symmetrischer DC-Verteilung*
a)   Schalldruckpegel und auf $I_{DC,Stern} = 0\,A$ normierte Vibrationsleistung
b)   mechanische Schwingungen aufgeteilt in gerade und ungerade 50 Hz harmonische Anteile im Vgl. zum gesamten Schalldruck

Erkennbar ist, dass zunächst beide Frequenzgruppen die gleiche Zunahme aufweisen und erst bei relativ hohen Gleichstromwerten deutlich im Bereich der Sättigung ($I_{\mathrm{DC,Stern}}/I_{\mathrm{mag,Gesamt}} > 4$ ($\triangleq I_{DC,Stern} > 2{,}4\,A$)) unterschiedliches Verhalten aufweisen. Der gleichförmige Anstieg kann dadurch erklärt werden, dass die geraden Frequenzanteile ebenso Harmonische der 50 Hz Anregung darstellen und daher im gleichen Maße wie die ungeraden Frequenzanteile an Signalleistung gewinnen.

Im gleichstromfreien Betrieb sind die Signalleistungen der ungeraden Frequenzanteile mechanischer Schwingungen im Vergleich zu den geraden Frequenzanteilen meist vernachlässigbar. Abbildung 5.13 zeigt zum direkten Vergleich die Spektren einer Messung ohne Gleichstrom und einer Messung mit $I_{\mathrm{DC}} = 9\,\mathrm{A}$.

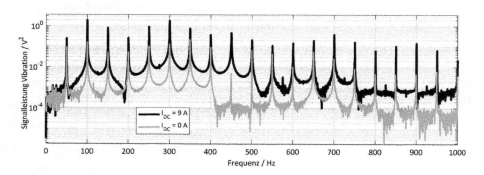

Abbildung 5.13   *Vergleich der Leistungsdichtespektren der mechanischen Schwingungen bei symmetrischer Verteilung; grau = Referenz ohne Gleichstrom und schwarz = worstcase bei $I_{DC,Stern} = 9\,A$*

Für eine prinzipielle Bewertung der ungeraden Harmonischen in Abbildung 5.13 werden die Verhältnisse der summierten Leistungsdichten aus jeweils geraden und ungeraden Harmonischen herangezogen. Dafür werden in Anlehnung an [53] der Peakwert jeder betrachteten Frequenz für die beiden Summenbildung (der quadrierten Peakwerte) verwendet. Im Referenzfall ohne Gleichstrom beträgt der Anteil aller ungeraden Harmonischen an der gesamten Leistungsdichte 0,2%. Bei der Messung mit Gleichstrom steigt das Verhältnis auf 26% an. Das Verhältnis der geraden und ungeraden Harmonischen kann daher direkt als Indikator für das Vorhandensein überlagerter Gleichströme in Transformatoren eingesetzt werden.

Da es sich um ein vergleichsweise einfaches Messverfahren handelt (vergleiche Kapitel 4.1), kann damit eine erste Abschätzung über mögliche unerwünschte Beeinflussungen durch Gleichströme technisch umgesetzt werden, auch ohne die aufwändigere Sternpunktstrommessung. Aufgrund der in den vorangegangenen Kapiteln diskutierten Streuung der Schwingungsmessung unterschiedlicher Betriebsmittel kann aber im Allgemeinen der tatsächliche Gleichstromwert ohne Referenzmessungen an dem jeweiligen Transformator nicht abgeleitet werden.

Unsymmetrische Gleichstromverteilung

Einkopplungen von Gleichströmen bei hybriden Freileitungen können unterschiedliche Gleichströme in den einzelnen Phasen hervorrufen. Die folgenden Szenarien tragen diesem Rechnung. Betrachtet werden drei verschiedene Gleichstromverteilungen. Eine Übersicht aller eingeprägten Gesamtströme im jeweiligen Szenario ist in Tabelle 5.4 aufgelistet.

- Szenario 1 betrachtet einen über die Phasen U, V, W abgestuften Gleichstrom. Phase U wird dabei mit dem höchsten Gleichstrom beaufschlagt.

- In Szenario 2 fließt der Gleichstrom hauptsächlich durch die mittlere Phase.

- Szenario 3 betrachtet den Fall, wenn hauptsächlich die beiden äußeren Phasen U und W mit Gleichstrom gleich stark belastet sind.

Tabelle 5.4   Eingeprägte Ströme für die Untersuchung unsymmetrischer Gleichstromverteilungen und Verteilung der Ströme auf die Phasen

DC-Verteilung (U|V|W)	DC im Sternpunkt des back-to-back Setups
Szenario 1 67% | 21% | 12%	0 | 0,3 | 0,6 | 0,9 | 1,2 | 1,5 | 1,8 | 2,1 | 2,4 | 2,7 | 3,0 | 4,5 | 6,0 | 9,0
Szenario 2 14% | 72% | 14%	0,3 | 0,6 | 1,2 | 2,4 | 6,0
Szenario 3 47% | 6% | 47%	0 | 0,3 | 0,6 | 1,2 | 2,4 | 6,0

Abbildung 5.14 zeigt den Scheinleistungsbedarf der Szenarien und zum Vergleich die Scheinleistungskurve der symmetrischen Belastung über dem eingeprägten Gleichstrom. Prinzipiell ist der Scheinleistungsbezug aller Szenarien vergleichbar: Mit steigendem Gleichstrom geht eine lineare Zunahme der Scheinleistung einher.

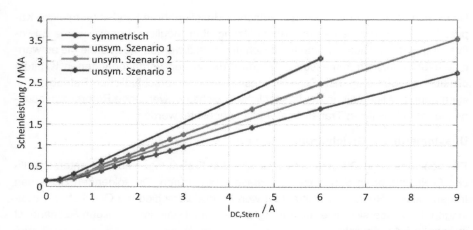

Abbildung 5.14   Vergleich des Scheinleistungsbedarfs eines Transformators bei symmetrischen und unsymmetrischen Szenarien

Dabei zeigen alle unsymmetrischen Gleichstromverteilungen einen zum symmetrischen Fall größeren Gradienten aufgrund der stärker auftretenden Sättigungseffekte der belasteten Phasen. Hinsichtlich möglicher Netzrückwirkungen sind daher unsymmetrische Gleichstrombelastungen als kritischer anzusehen.

Im Vergleich der unsymmetrischen Szenarien kann festgestellt werden, dass je größer der gesamte Gleichstrom auf den äußeren Schenkeln (U, W) ist, desto größer ist auch der Scheinleistungsbedarf. Grund hierfür sind die in diesen Fällen höheren Gleichanteile in den Flussdichten der Rückflussschenkel, die zu höheren Sättigungsströmen führen.

Nicht separat abgebildet ist die Non-Active Power N, da diese wie bei der symmetrischen Betrachtung nahezu deckungsgleich mit der Scheinleistung ist. Die Unterschiede in der Wirkleistung zwischen den einzelnen Szenarien fallen gering aus, siehe Abbildung 5.15. Der Anstieg der Wirkleistung bei steigendem Gleichstrom ist zwischen den Szenarien sehr ähnlich. Die Verteilung des Gleichstromes hat auf den Wirkleistungsbedarf daher nur einen geringeren Einfluss. Die leichten Schwankungen ($\Delta P < 3$ kW) der Messreihen zueinander für $I_{DC,Stern} = 0$ A lassen sich zum einen auf Messungenauigkeiten zurück führen und zum anderen auf mögliche Remanenzeffekte, wodurch die Leerlaufmessung, die immer die erste Messung einer Messreihe ist, durch Vormagnetisierungen des Kerns aus dem vorangegangenen Versuch beeinflusst werden kann.

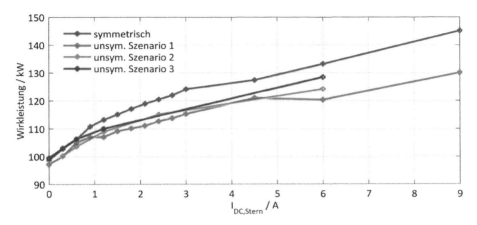

Abbildung 5.15   *Vergleich des Wirkleistungsbedarfs bei symmetrischen und unsymmetrischen Szenarien*

Dies lässt sich nicht vollständig vermeiden, obwohl zu Ende jedes Einzelversuches die Remanenz durch langsames verringern der Wechselspannung bei abgeschaltetem Stromkonstanter minimiert wird.

Abbildung 5.16 zeigt den Verlauf der Geräusche und der mechanischen Schwingungen über dem eingeprägten Gleichstrom. Die relative Zunahme in der Schwingungsmessung in Abbildung 5.16, unten sind auf die Referenzmessung bezogen (Schwingungen bei $I_{DC,Stern} = 0$ A). Wie beide Diagramme verdeutlichen, reichen bereits kleine Gleichströme $I_{DC,Stern} \leq 1$ A aus, um die mechanischen Schwingungen und gleichermaßen die Geräusche stark ansteigen zu lassen.

Im untersuchten Fall steigen beide Komponenten bei einsetzendem Gleichstrom um ca. 10 dB an. Den Worst-case stellt Szenario 3 dar, bei dem der Gleichstrom über die äußeren Phasen fließt, mit einer Zunahme des Schalldrucks von $\Delta L_{pA} = 17,3$ dB bei $I_{DC,Stern} = 6$ A. Bei kleinen Stromwerten im Bereich des Magnetisierungsstroms zeigen die verschiedenen Szenarien leicht unterschiedliche Kurvenverläufen der mechanischen Schwingungen und des Schalldrucks. Bei hohen Gleichstromwerten im Bereich der Sättigung machen sich diese Unterschiede nicht mehr bemerkbar, wie der Verlauf der mechanischen Schwingungen in Abbildung 5.16 ab ca. $I_{DC,Stern} = 2,5$ A zeigt. Die leichten Abweichungen des Schalldruckes sind auf Messungenauigkeiten während des Umlaufs zurückzuführen.

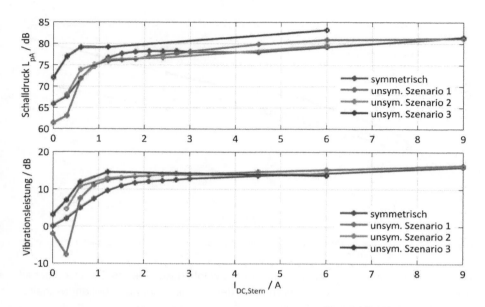

Abbildung 5.16   Verlauf der Schalldrücke (oben) und der normierten mechanischen Schwingungen (unten) bei symmetrischen und unsymmetrischen Gleichstrombedingungen über dem eingespeisten Gleichstrom

Zusammenfassend kann festgestellt werden, dass jede Gleichstromüberlagerung egal ob symmetrisch oder unsymmetrisch bei 5-Schenkelkernen zu einer signifikanten Zunahme der Scheinleistung führt, wobei hierbei Nichtscheinleistungskomponenten den größten Anteil ausmachen. Die Zunahme der gesamten Wirkleistung ist moderat. Die Magnetostriktion führt zu einem starken Anstieg der mechanischen Schwingungen und damit auch der abgestrahlten Geräusche.

Die Schwingungsanalyse wie auch die Schallmessung sind prinzipiell geeignet, an 5-Schenkeltransformatoren im Betrieb auf einfache Weise abzuschätzen, ob Gleichströme den Betriebsstrom überlagern. Ist die Gleichstrom-Schwingungskennlinie des jeweiligen Transformators bekannt, so zeigt der Laborversuch, dass es zumindest im linearen Bereich der Magnetisierungskennlinie möglich ist, eine Abschätzung des verursachenden Gleichstroms aus der Änderung der Signalleistung der Schwingungsmessungen abzuleiten. Es macht Sinn, hierfür nur ungerade Harmonische (50 Hz, 150 Hz, etc.) zu betrachten, da diese nicht von anderen betrieblichen Parametern wie beispielsweise der Last beeinflusst werden. Für eine erste Abschätzung kann dies durchaus ausreichend sein, da eine tatsächliche Messung der Gleichströme einen wesentlich höheren Aufwand bedeutet, siehe Kapitel 5.3.1.

5.2.5 Beeinflussung von 3-Schenkeltransformatoren durch Gleichströme

Aufgrund der Betrachtungen in Kapitel 5.2.1 ist zu erwarten, dass 3-Schenkeltrans-formatoren bei symmetrischer Gleichstrombelastung keine bis wenige Wechselwir-kungen zeigen. Bei unsymmetrischen Belastungen ist ein Verhalten ähnlich der 5-Schenkeltransformatoren zu erwarten mit einem Anstieg der Scheinleistung, der Wirkleistung, der mechanischen Schwingungen und Geräusche.

Es werden zwei verschiedene back-to-back Versuche betrachtet. Für Voruntersu-chungen kommen zwei baugleiche 30 MVA Transformatoren vom Typ YNyn0 110 / 10 kV zum Einsatz. Für die Hauptversuchsreihe werden zwei baugleiche 63 MVA Leistungstransformatoren vom Typ YNyn0 115 / 21 kV mit einem Magneti-sierungsstrom von $I_{\text{mag,ges}} = 714\,\text{mA}$ (OS) verwendet. Abbildung 5.17 zeigt den prak-tischen Versuchsaufbau der 30 MVA Transformatoren. Abweichend vom Versuchs-aufbau der 5-Schenkeltransformatoren werden die OS-Spannungen nicht durch Messbeläge der Durchführungen gemessen, sondern durch separate kapazitive Tei-ler.

Abbildung 5.17   Zwei 30 MVA 3-Schenkeltransformatoren in back-to-back Verschaltung

Tabelle 5.5 zeigt für symmetrische Szenarien den Gesamtgleichstrom durch den Sternpunkt, die Gleichströme in den einzelnen Phasen sowie den Bezug auf den Magnetisierungsstrom I_{mag}. Abbildung 5.18 zeigt die den Hysteresekurven proporti-onalen X-Y Plots der mittleren Phase V für alle symmetrischen Gleichstrombeauf-schlagungen. Auf der Abszisse wird der zeitliche Verlauf des Stromes und auf der Ordinate der zeitliche Verlauf des Spannungsintegrals projiziert. Die Darstellung ist proportional der Hysteresekurve, siehe auch Gleichungen (2.15) und (2.16) in Kapitel 2.1.2. Erkennbar ist, dass sich die Form der Hysteresekurve nicht verändert. Der Versatz nach links rührt von der Orientierung des eingeprägten Gleichstroms her. Die verschobenen Kurven haben nahezu den gleichen Verlauf. Das bedeutet, dass der symmetrische Gleichstrom keine Auswirkungen auf den magnetischen Arbeits-punkt hat.

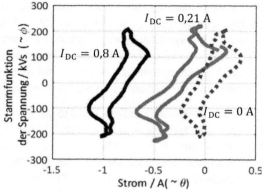

Tabelle 5.5 *Symmetrische Gleich-ströme (30 MVA Trans-formatoren)*

DC im Sternpunkt	DC pro Phase	I_{DC}/I_{mag}
0 A	0 A	0
0,63 A	0,21 A	0,90
2,4 A	0,8 A	3,43

Abbildung 5.18   Hysteresekurven bei symmetrischer Gleichstrombelastung

Für die weiteren Untersuchungen dient der Messaufbau der 63 MVA Transformatoren. Die Messreihen für symmetrische Gleichstrombelastungen sind in Tabelle 5.6 dargestellt und für unsymmetrische Gleichstrombelastungen in Tabelle 5.7

Tabelle 5.6   *Eingeprägte Ströme für die Untersuchung symmetrischer Gleichstromverteilungen (63 MVA Transformatoren)*

DC im Sternpunkt	DC pro Phase	I_{DC}/I_{mag}
0 A	0 A	0
0,6 A	0,2 A	0,84
1,2 A	0,4 A	1,69
1,8 A	0,6 A	2,53
3 A	1 A	4,22
9 A	3 A	12,66
15 A	5 A	21,10

Abbildung 5.19 und Abbildung 5.20 zeigen den Scheinleistungsbedarf und den Wirkleistungsbezug des Aufbaus ermittelt aus den Messungen der speisenden Quelle. Die Werte geben damit den summierten Leistungsbedarf beider Transformatoren wieder. Sowohl hinsichtlich Schein- als auch Wirkleistung ist deutlich erkennbar, dass die Versuche mit symmetrischer Gleichstromverteilung keine wesentlichen Änderungen hervorrufen.

Tabelle 5.7   *Eingeprägte Ströme für die Untersuchung unsymmetrischer*
Gleichstromverteilungen (63 MVA Transformatoren)

DC-Verteilung (U|V|W)	DC im Sternpunkt des back-to-back Setups
Szenario 1 80% | 10% | 10%	0 | 0,4 | 0,8 | 1 | 1,2 | 1,4 | 1,6
Szenario 2 20% | 63% | 17%	0,3 | 0,6 | 0,9 | 1,2 | 1,5 | 1,8 | 2,1 | 2,4 | 2,7
Szenario 3 45% | 10% | 45%	0 | 0,3 | 0,6 | 0,9 | 1,2 | 1,5 | 1,8 | 2,4 | 3 | 4,5

Bei unsymmetrischen Belastungen steigt der Scheinleistungsbedarf, der wieder im Wesentlichen aus harmonischen Anteilen der non-active Power besteht, linear mit dem Gleichstrom an und ist damit vergleichbar mit dem Verhalten der 5-Schenkeltransformatoren.

Im detaillierten Vergleich unterscheiden sich die Szenarien untereinander. Szenario 3 (mit hohen Gleichstromwerten in den äußeren Phasen / Schenkeln) zeigt beim 3-Schenkeltransformator den kleinsten Leistungsbezug; beim 5-Schenkeltransformator ist er am größten. Grund für diese Unterschiede sind die beim 3-Schenkeltransformator fehlenden Rückflussschenkel, die maßgeblich die Verteilung des magnetischen Gleichflusses bestimmen, vergleiche Kapitel 5.2.1.

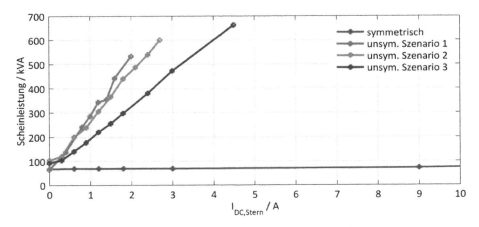

Abbildung 5.19   *Vergleich des Scheinleistungsbedarfs eines 3-Schenkeltransformators bei sym-*
metrischen und unsymmetrischen Szenarien

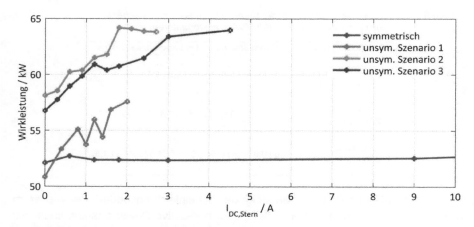

Abbildung 5.20   Vergleich des Wirkleistungsbedarfs eines 3-Schenkeltransformators bei symmetrischen und unsymmetrischen Szenarien

Wie beim 5-Schenkeltransformator nimmt auch beim 3-Schenkeltransformator die Wirkleistung mit dem Gleichstrom zu – allerdings nur für unsymmetrische Verteilungen. Die unterschiedlichen Anfangswerte in Abbildung 5.20 sind wie in Kapitel 5.2.4 auf Remanenzeffekte durch Vorversuche zurück zu führen.

Für kleine Gleichstromwerte ($I_{DC,Stern} < 1\,A$) kann die Wirkleistungszunahme als linear angenommen werden. Der Verlauf ist mit jenen der 5-Schenkeltransformatoren (Kapitel 5.2.4) vergleichbar, wenn als Maßstab der relative Magnetisierungsstrom herangezogen wird. Als Beispiel dient Szenario 3. Die Wirkleistungszunahme des 3-Schenkeltransformators bei $I_{DC,Stern} = 1\,A = 1{,}4\,I_{mag}$ beträgt etwa 7%. Die Zunahme beim 5-Schenkeltransformator bei gleichem relativen Magnetisierungsstrom $I_{DC,Stern} = 1{,}4\,I_{mag} = 0{,}8\,A$ liegt ebenfalls bei ca. 7%.

Da ein Teil der Wirkleistungsverluste in mechanische Schwingungen umgesetzt wird im Folgenden wie bei den 5-Schenkeltransformatoren das Schwingungs- und Geräuschverhalten nun bei 3-Schenkeltransformatoren betrachtet. Abbildung 5.21 zeigt im oberen Diagramm den gemessenen mittleren Schalldruck der Umlaufmessung und im unteren Diagramm die gemittelten Kesselschwingungen des 3-Schenkeltransformators. Symmetrische Gleichstromkomponenten wirken sich erwartungsgemäß nicht auf Schwingungen oder Geräusche aus. Die unsymmetrischen Belastungen wirken sich gleichermaßen auf Schwingungen und Schall aus.

Sie sind qualitativ mit dem Verhalten der 5-Schenkeltransformatoren vergleichbar, siehe auch Abbildung 5.16. Bereits bei kleinen Gleichströmen unter dem Magnetisierungsstrom (zum Vergleich $I_{mag} = 714$ mA) ist eine deutliche Zunahme von Schwingungen und Schall feststellbar. Für den Wertebereich $I_{DC} \leq I_{mag}$ ist die Zunahme der logarithmisch dargestellten Größen näherungsweise linear, wobei die unterschiedlichen Szenarien mit gleicher Steigung angenommen werden können. Bei weiter steigendem Gleichstrom flacht der Verlauf ab, was dem Verhalten der magnetischen Sättigung entspricht. Die weitere Zunahme der Schwingungen mit kleinem Gradienten über die Sättigung hinaus rührt von Schwingungen der Wicklungen durch den steigenden Sättigungsstrom.

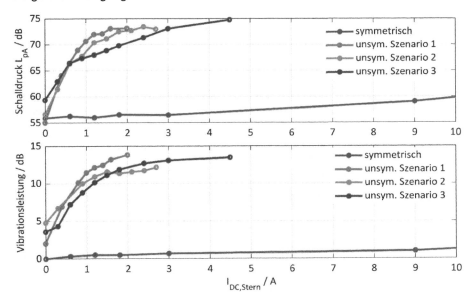

Abbildung 5.21   Verlauf der Schalldrücke (oben) und der normierten mechanischen Schwingungen (unten) bei symmetrischen und unsymmetrischen Gleichstrombedingungen an einem 3-Schenkeltransformator über dem eingespeisten Gleichstrom

5.2.6 Gegenüberstellung von 3- und 5-Schenkeltransformatoren

Zusammenfassend kann festgestellt werden, dass sich 5-Schenkel- und 3-Schenkeltransformatoren bei unsymmetrische Gleichstromverteilungen in ihrem Verhalten stark ähneln. Bei symmetrischer Verteilung treten beim 3-Schenkeltransformator kaum Beeinflussungen auf, wohingegen beim 5-Schenkeltransformator jede Form der Gleichstromeinkopplung zu Wechselwirkungen führt.

Aufgrund der physikalischen Zusammenhänge ist die Zunahme der mechanischen Schwingungen und der daraus folgenden Geräusche mit steigendem Gleichstrom begrenzt, da in Sättigung keine weitere Ausrichtung der Weiß`schen Bezirke mehr möglich ist. Die Wirkleistungsverluste und der Scheinleistungsbedarf zeigen in den durchgeführten Versuchen keine vergleichbare Begrenzung. Allerdings könnte diese bei noch höheren Gleichstromwerten auftreten, die aufgrund der begrenzten Möglichkeiten der verwendeten AC- und DC-Quellen nicht vermessen wurden.

Für den Betrieb in der Praxis ist insbesondere der steigende Geräuschpegel problematisch, wenn sich die Transformatoren in der Nähe bewohnter Gebiete befinden. Aus netzbetrieblicher Sicht kann der hohe Anteil der non-active Power, also der harmonischen Anteile der Scheinleistung von Interesse sein, da sich diese Form der Netzrückwirkung schon durch kleine Gleichstromwerte im Bereich einiger 100 mA erzeugen lässt.

5.3 Feldmessungen an Transformatoren mit überlagerten Gleichströmen

Die aus den bisherigen Untersuchungen gewonnenen Erkenntnisse werden auch an Transformatoren im normalen Netzbetrieb angewandt. Praktische Gründe für Feldmessungen sind hauptsächlich Rückmeldungen von Anwohnern im Umfeld der Umspannanlagen. In den konkreten Fällen sind Beschwerden aufgrund einer veränderten Geräuschbelastung eingegangen, die aufgrund der Schilderungen einen überlagerten Gleichstrom als Quelle vermuten lassen. Eine vorläufige Geräuschmessung zeigt im Frequenzspektrum einen hohen Anteil ungerader harmonischer Anteile, was den Verdacht erhärtet. Ziel der folgenden Untersuchung ist zum einen die Identifizierung der Ursache, also die Lokalisierung der Gleichstromquelle und die Verifizierung der bisher durchgeführten Schwingungsmessungen an 5-Schenkeltransformatoren im Labor (Kapitel 5.2.4) an einem baugleichen Schwestertransformator unter normalen Betriebsbedingungen.

5.3.1 Messung der Sternpunktströme

Zur Messung der Sternpunktströme wird ein eigens für diesen Zweck entwickeltes Messsystem verwendet [92]. Das System kann sowohl den Zeitverlauf des Stromes für eine detaillierte Analyse als auch die berechneten Effektivwerte für eine Langzeitmessung (Monitoring) erfassen und speichern. Es wird mittels eines Handerders zwischen den Sternpunkt und der Erde geschaltet. Durch die Installation des Messsystems bei geschlossenem Erdungsschalter ist es möglich, das System im laufenden Betrieb anzubringen, siehe Abbildung 5.22. Nach der Installation wird der Erdungsschalter geöffnet und alle Ströme (Gleich- und Wechselanteile) kommutieren auf den Messpfad.

Um die Kurzschlussfestigkeit sicher zu stellen sind alle verwendeten Querschnitte so dimensioniert, dass ein auftretender Kurzschlussstrom bis $I_K \leq 15$ kA zuverlässig abgeleitet werden kann. Das Messsystem arbeitet mit closed-loop Halleffektstromsensoren und umfasst einen Wertebereich von $\Delta I = \pm 40$ A (Superposition aus Gleichstrom und AC-peak), die mit einer maximalen Samplerate von $f_{sample,max} = 1$ MSamples/s abgetastet werden können. Daten werden entweder kontinuierlich aufgezeichnet oder in definierten Intervallen gemessen, was bei ausreichend kurzen Intervallabständen für eine Analyse des zeitlichen Verlaufes der Sternpunktströme ausreicht. Typischerweise wird für eine Messung das Zeitsignal einige Sekunden aufgezeichnet bei einer Samplerate von $f_{sample} = 20$ kSamples/s, was für eine Betrachtung der harmonischen Anteile bis ca. $f_{max} = 1$ kHz ausreichend ist. Für eine effektivere Datenhaltung werden für Langzeitmessungen nur bestimmte Frequenzanteile dauerhaft gespeichert, beispielsweise der Gleichstromanteil, die Effektivwerte der Netzfequenz f_N und deren Harmonische. Der Zugriff auf das System ist wahlweise über eine konventionelle Netzwerkbuchse oder eine WLAN-Schnittstelle möglich. Der drahtlose Zugang ist für Systemzugriffe während laufender Messungen notwendig, da Messungen aus Sicherheitsgründen immer in abgeschrankten Bereichen ohne Zutrittsmöglichkeit stattfinden und die Kommunikation galvanisch getrennt betrieben werden muss. Um längere Freifeldmessungen technisch zuverlässig zu ermöglichen befindet sich das gesamte Messsystem in einem IP65-spezifizierten Gehäuse, siehe Abbildung 5.22.

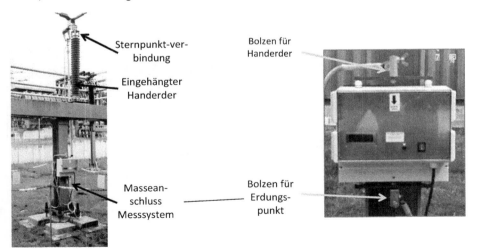

Abbildung 5.22   Messung an einem Sternpunkterder eines Netzkuppeltransformators [93]

5.3.2 Verteilte Messungen im Übertragungsnetz

Mit mehreren der vorgestellten Systeme werden an verteilten, geerdeten Sternpunkten die Ströme im Rahmen einer Langzeitmessung zeitlich aufgezeichnet. Betrachtet werden die Ströme an drei Transformatoren in räumlich getrennten Umspannanlagen. Die betrachteten Umspannanlagen sind über das 380 kV Übertagungsnetz direkt miteinander verbunden, es existieren Stichleitungen zwischen den Standorten von Sternpunkt 1 zu 2 (Länge $l_{12} = 60\,\text{km}$) und von Sternpunkt 1 zu 3 (Länge $l_{13} = 46\,\text{km}$), siehe Abbildung 5.23 a). Über einen Zeitraum von mehreren Monaten werden die Gleichstromanteile aufgezeichnet. Wie an den mittleren Tagesgängen in Abbildung 5.23 b) erkennbar ist, zeigen alle Sternpunkte einen deutlichen, konstanten negativen Gleichstromanteil, dem zusätzlich eine von der Uhrzeit abhängige Schwankung überlagert ist. Gezeigt sind für jeden Sternpunkt die Tagesgänge des Gleichstroms aus 30 Tagen und daraus errechnet der durchschnittliche Tagesverlauf (arithmetisches Mittel). Das negative Vorzeichen definiert, dass der Gleichstrom aus dem Erdreich über den Sternpunkt in den Transformator fließt. Bei allen durchgeführten Feldmessungen wurden ausschließlich Gleichströme gemessen, die in den Transformator fließen. Der Austrittspunkt des Gleichstroms ist damit messtechnisch in dieser Betrachtung zunächst nicht erfasst.

Der mittlere Tagesgang des Gleichstroms in Sternpunkt 1 und 2 verläuft entgegengesetzt: Über den Tag kommutieren Anteile des Gleichstroms zwischen beiden Sternpunkten hin und her.

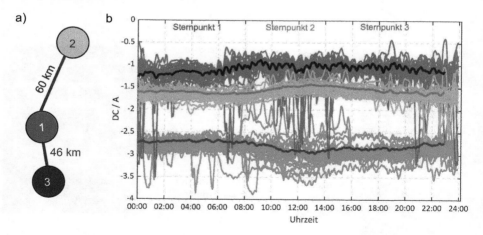

Abbildung 5.23   a) Verbindung der betrachteten Transformatoren über Stichleitungen
b) 30 Tagesgänge und gemittelter Tagesgang der Gleichströme (fett) an drei 380 kV Transformatorsternpunkten [93]

Eine ähnliche Korrelation zu Sternpunkt 3 ist nicht erkennbar. Ebenso ist im mittleren Tagesgang von Sternpunkt 3 eine leichte Schwingung mit einer Periodendauer von ca. einer halben Stunde erkennbar, welche bei den anderen Sternpunkten nicht auftritt. Diese Einkopplung weist darauf hin, dass hier verschiedene Quellen den mittleren Tagesgang der Sternpunktströme beeinflussen, wie im Folgenden noch erläutert wird.

Die hohen Beträge der durchschnittlichen Gleichströme aus dem Erdreich lassen vermuten, dass die Hauptquelle(n) groß-industrielle Anlagen sind, wie beispielsweise kathodische Korrosionsschutzeinrichtungen für Verrohrungen. Durch die Potentialdifferenz zwischen Opferanode und zu schützender Einrichtung bilden sich entsprechende Gleichströme aus. Ggf. können Teilströme über verschiedene, parallele Maschen fließen, die durch das Erdreich und das Übertragungsnetz aufgespannt werden. Unter der Annahme, dass der kürzeste Pfad auch den kleinsten Widerstand darstellt, fließt durch diesen auch bedingt durch den aufgespannten Stromteiler der betragsmäßig größte Gleichstrom. In diesem Fall also durch Sternpunkt 1, welcher der Quelle am nächsten liegt.

Die vorangegangenen Betrachtungen deuten darauf hin, dass die signifikante Quelle statischer Natur sein muss. Um die Theorie messtechnisch zu verifizieren, wird durch verschiedene Schalthandlungen der betrachtete Übertragungsnetzabschnitt aufgetrennt und der Einfluss auf die Sternpunktströme ausgewertet. Im Zeitraum zwischen dem 13. April und dem 21. April 2016 finden insgesamt acht Freischaltungen des Stromkreises zwischen Sternpunkt 1 und Sternpunkt 3 statt, vergleiche Abbildung 5.24 a). In Abbildung 5.24 b) ist der temporäre Rückgang des Gleichstrombetrags an Sternpunkt 3 hinter dem zeitweise aufgetrennten Stromkreis erkennbar. Ebenso zeigt das Diagramm, dass der Gleichstrom zum größten Teil auf Sternpunkt 1 kommutiert, was ein weiteres Indiz dafür liefert, dass die Hauptquelle im Umfeld von Sternpunkt 1 zu suchen ist. Die Ströme in Sternpunkt 2 zeigen eine geringe Abhängigkeit zu den Schalthandlungen und werden für die weitere Quellensuche nicht herangezogen.

Eine Recherche der umliegenden großindustriellen Anlagen führt zu einem lokalem kathodischen Korrosionsschutzsystem (LKS), ausgerüstet mit horizontal- und vertikal angeordneten Tiefenelektroden (Tiefe ≤ 100 m) in direkter Nachbarschaft zur Umspannanlage von Sternpunkt 1.

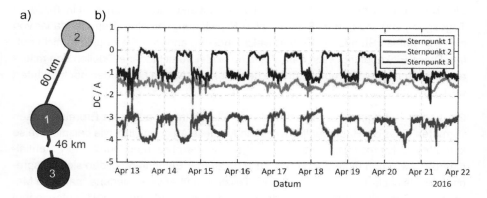

Abbildung 5.24   *a) Öffnung der Stichleitung zwischen Standort 1 und 3*
b) Verlauf der Sternpunktströme bei Öffnung des Stromkreises zwischen Stern-
punkt 1 und 3 [93]

Eine weiträumige Verteilung der Gleichströme durch verschiedene geologische Schichten ist durch die Tiefenelektroden möglich und passt zur formulierten These. Aufgrund der Größe der zu schützenden Gewerke ist für den Betrieb der LKS-Anlagen ein Summengleichstrom in der Größenordnung von ca. $I_{ges} = 300$ A erforderlich. Zu Testzwecken ist es möglich, den Korrosionsschutz kurzzeitig auszuschalten. Wie in Abbildung 5.25 erkennbar ist, sinkt der Gleichstrom in Sternpunkten 1 und 2 bei ausgeschaltetem Korrosionsschutz (20. Mai 10:30 h bis 20. Mai 11:15 h) auf betragsmäßig kleine Werte zwischen $I_{DC} = 300$ mA (Sternpunkt 1) und $I_{DC} = 450$ mA (Sternpunkt 2). Die statistisch relevante Hauptquelle kann damit als identifiziert angesehen werden. Da die Ströme jedoch nicht vollständig auf null absinken, ist es naheliegend, dass das Übertragungsnetz noch von weiteren Gleichstromquellen beeinflusst wird. Die hohe Volatilität der einzelnen Tageskurven legen zusätzliche nahe, dass temporär aktive Quelle die statischen Quellen überlagern.

Um eine teilweise Identifizierung der volatilen Quellen zur ermöglichen, werden die gemessenen Tagesgänge des Stroms mit geomagnetischen Effekten aus Kapitel 5.1.2 verglichen. Für eine Korrelationsuntersuchung werden hierzu die Änderungen des Erdmagnetfelds herangezogen. Messdaten hierzu können über das International Real-time Magnetic Observatory Network (Intermagnet) bezogen werden [94].

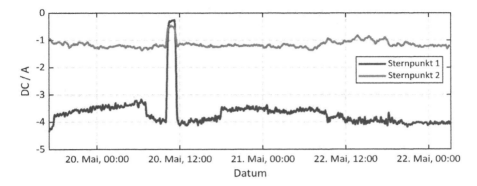

Abbildung 5.25   Verlauf der Gleichströme bei kurzzeitiger Abschaltung eines lokalen kathodischen Korrosionsschutzsystems (LKS) [93]

Für diese Auswertung werden Daten des Erdmagnetfeld-Observatoriums Wingst verwendet, das vom Helmholtz-Zentrum Potsdam betrieben wird [95]. Für eine Korrelation zwischen transienten Stromänderungen und Änderungen im Magnetfeld werden Zeitpunkte betrachtet, bei denen mindestens eine Komponente des dreidimensionalen Flussdichtevektors um wenigstens $\Delta B \geq 50$ nT vom Tagesdurchschnittswert abweicht. Der Schwellwert ist hier zunächst beliebig gesetzt und kann variieren. Im gewählten Betrachtungszeitraum (April 2016) finden sich insgesamt 11 schnelle Änderungen des Erdmagnetfeldes. Abbildung 5.26 zeigt beispielhaft einen Vorgang, der qualitativ die typischen Auswirkungen der Erdmagnetfeldänderung auf die untersuchten Sternpunktströme verdeutlicht. In Sternpunkt 3 tritt eine kurzzeitige, signifikante Erhöhung des Gleichstroms um $\Delta I_{DC} = 2{,}5$ A auf. Die Auswirkungen auf die anderen Messstellen fallen geringer aus und liegen im Bereich $\Delta I_{DC} \cong 0{,}5$ A. Im Einzelfall hängen die resultierenden transienten Gleichströme stark vom Verlauf der Änderungen der einzelnen Komponenten ab, da die Induktion in die Freileitungen von den Geometrien der aufgespannten Flächen zwischen Leitung und Erdboden, deren Ausrichtung und der Leitfähigkeit des Erdbodens abhängen, vergleiche Kapitel 5.1.4.

Zusammenfassend können viele kurzzeitige Gleichstromänderungen mit Stromsprüngen von $\Delta I_{DC} \geq 1$ A geomagnetischen Effekten zugeordnet werden. Anhand der vorliegenden Messdaten des Feldversuchs kann festgestellt werden, dass diese kurzzeitig aktiven Quellen hinsichtlich Dauer und Stromamplituden nicht als wesentliche Quellen der gesamten Gleichstrombelastung anzusehen sind, sondern die wesentlichen Anteile durch die statischen Quellen, im vorliegenden Fall dem Korrosionsschutz, bedingt sind.

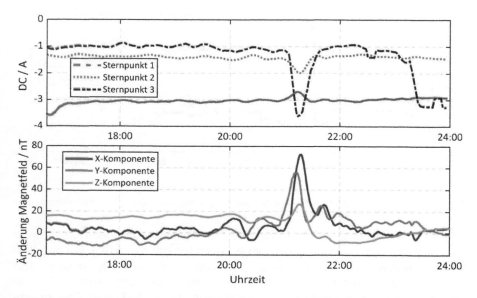

Abbildung 5.26   Transiente Beeinflussung der Sternpunktströme durch Änderung des Erdmagnetfeldes [93]
oben: Gleichstromkomponente der Sternpunkte
unten: Zeitgleiche Änderung der Erdmagnetfelddichte

5.3.3 Vergleich von Freifeld- und Prüffeldmessungen

Da einer der betrachteten Transformatoren baugleich zu den 5-Schenkeltransforma-
toren aus Kapitel 5.2.2 ist, ist ein Vergleich von Schwingungsmessungen unter Laborbedingungen und unter Netzbedingungen bei Gleichstromüberlagerung möglich.
Dafür wird am Transformator im Feld eine Strommessung im Sternpunkt installiert
und ein Körperschallsensor an gleicher Stelle wie im Labor angebracht.

Abbildung 5.27 zeigt den Verlauf von Gleichstrom und mechanischen Schwingungskomponenten über einen Zeitraum von ca. 3 Stunden. Ein positiver Gleichstrom bedeutet, dass der Strom von der Erdmasse über den Sternpunkt in den Transformator
fließt. Betrachtet werden zwei sprunghafte Anstiege des Gleichstroms um 12:22 Uhr
und um 13:30 Uhr. Um 12:22 Uhr wird in einer benachbarten Umspannstation (Frei-
leitungslänge ca. 10 km) der Sternpunkt eines 380 kV Netzkupplers für Versuchs-
zwecke enterdet. Daraufhin kommutiert ein Gleichstromanteil zum betrachteten
Netzkuppler, was zu einem Anstieg des Gleichstromes um ca. $\Delta I_{DC} = 450$ mA führt.
Um 13:33 Uhr wird der Sternpunkt eines 380 kV-Maschinentransformators in einem
benachbarten Kraftwerk (ca. 1,2 km entfernt über eine Freileitung) enterdet. Dadurch
kommutiert ein weiterer Gleichstromanteil zum betrachteten Transformator.

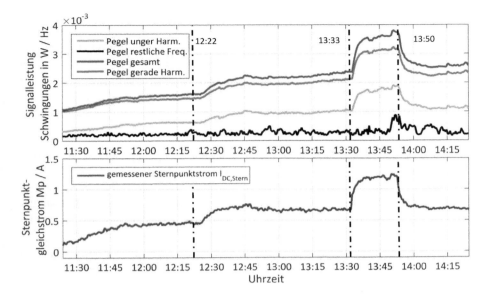

Abbildung 5.27   *Feldmessung von Strömen und Kesselschwingungen*
oben: Signalleistungskomponenten der Schwingungsmessung
unten: Gleichstrom $I_{DC,Stern}$ gemessen im Transformatorsternpunkt

Wie das obere Diagramm in Abbildung 5.27 zeigt, steigen die Pegel der gesamten mechanischen Schwingung simultan mit dem Gleichstrom an. Nach ca. 20 Minuten wird der Sternpunkt des 380 kV-Maschinentransformators um 13:50 Uhr wieder geerdet. Der Gleichstrom kommutiert zurück, so dass nach Abschluss des Ausgleichvorgangs der gleiche Zustand erreicht ist wie vor 13:33 Uhr. Das Verhalten insbesondere der ungeraden Harmonischen der mechanischen Schwingung kann über den gesamten Betrachtungszeitraum mit dem Gleichstromverlauf korreliert werden. Zu Beginn des betrachteten Intervalls ist der Gleichstrom nahezu Null; ebenso sind die ungeraden Harmonischen sehr gering und tragen nur etwa 3% zur Gesamtsignalleistung bei. Mit dem stetigen Anstieg des Gleichstroms nehmen die geraden und ungeraden harmonischen Komponenten stetig zu. Im Maximum des Gleichstroms beträgt der Anteil der ungeraden Harmonischen ca. 25% der gesamten Signalleistung der mechanischen Schwingungen (quadratische Betrachtung der Leistungskomponenten).

Die Korrelation kann daher benutzt werden, um durch Schwingungsmessungen Gleichströme nachzuweisen, wenn die Installation einer Strommessung im Sternpunkt nicht möglich ist, beispielsweise an einem Maschinentransformator mit im Betrieb nicht zugänglichem Sternpunkt. Es ist Vorteilhaft die ungeraden harmonischen Anteile zu betrachten, da diese im normalen Betrieb nicht vorkommen und daher selektiv auf Gleichstromeffekte zurückgeführt werden können. Die gesamte Signalleistung ist aufgrund der Abhängigkeiten von Last und Temperatur der geraden Harmonischen nicht dazu geeignet (vgl. Kapitel 4).

Abbildung 5.28 zeigt den direkten Vergleich des Schwingungsverhaltens unter Gleichstrom aus der Feldmessung und aus den Laboruntersuchungen. Diagramm a) zeigt den zeitlichen Verlauf der im Feld gemessenen ungeraden harmonischen Anteile. Die Darstellung ist normiert auf die Signalleistung ohne Gleichstrombeeinflussung ($I_{DC} = 0\,\mathrm{A}$). Diagramm b) zeigt in orange die Kennlinie der mechanischen Schwingungen der Labormessungen aus Kapitel 5.2.4, also die Zunahme der Schwingungskomponenten über dem Verhältnis I_{DC}/I_{mag}. In grün ist zum Vergleich die gleiche Kennlinie dargestellt, wie sie sich aus der Feldmessung ergibt, mit kleiner Hysterese. Gut erkennbar ist die hohe Übereinstimmung In Diagramm c) ist der Verlauf des gemessenen Sternpunktgleichstroms als Vielfaches des Magnetisierungsstroms I_{mag} des 5-Schenklers dargestellt. Das Diagramm zeigt in rot den vor Ort gemessenen zeitlichen Verlauf des Gleichstroms. In blau ist die Rekonstruktion dargestellt. Für diese wird die linear interpolierte Prüffeldkennlinie aus Diagramm b) verwendet und damit anhand des Schwingungsverlaufs aus Diagramm a) der verursachende Gleichstrom zurück gerechnet. Die Rekonstruktion zeigt im Bereich $I_{DC}/I_{mag} \leq 1$ eine gute Übereinstimmung mit dem gemessenen Gleichstrom. Die Abweichungen zu Beginn des Versuchs können durch Einschwingvorgänge hervorgerufen werden. Für $I_{DC}/I_{mag} = 1$ sind Messung als auch Rekonstruktion deckungsgleich. Bei größeren Verhältnissen von $I_{DC}/I_{mag} > 1$ wird der tatsächliche Gleichstrom durch die Rekonstruktion leicht unterschätzt. Grund hierfür ist das nichtlineare Verhalten der mechanischen Schwingungen der Feldmessung, siehe grüne Kennlinie in Diagramm b). Dieses Hystereseverhalten für Verhältnisse von $I_{DC}/I_{mag} > 1$ ist in den Prüffeldmessungen nicht berücksichtigt. Die Abweichung kann daher durch die schnelle Änderung des Gleichstromes um 13:33 Uhr hervorgerufen werden. Die kurze Verweildauer bei $I_{DC} \cong 2\,\mathrm{A}$ ist nicht ausreichend, um einen statischen Zustand zu erreichen. Trotz dieser Einschränkungen beträgt der maximale Fehler ca. $\Delta I_{DC,max} = 0{,}5\,\mathrm{A}$. Für eine Abschätzung des Gleichstroms mit Hilfe der Schwingungsmessung wird dies als tolerabel betrachtet.

Daher ist es möglich, mit Hilfe einer einfachen Messung der Kesselschwingungen die Größenordnung des Sternpunktgleichstroms zu bestimmen. Voraussetzung ist, dass die charakteristische Kennlinie für diesen oder einen baugleichen Transformator im Prüffeld ermittelt wurde und die Position des Schwingungssensor am Kessel (onsite und im Prüffeld) gleich sind.

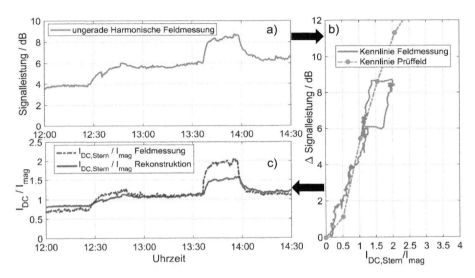

Abbildung 5.28   a) Änderung der ungeraden Harmonischen aus der Feldmessung bezogen auf den Leerlauffall ohne Gleichstromüberlagerung
b) Kennlinien der mechanischen Schwingungen bezogen auf den relativen Sternpunktgleichstrom aus der Prüffeldmessung am baugleichen Transformator (orange); Kennlinie aus der Zeitreihe der Feldmessung (grün)
c) Gleichstrom im Sternpunkt bezogen auf den Magnetisierungsstrom des Transformators aus der Feldmessung (rot) und rekonstruiert (blau) aus den gemessenen ungeraden Harmonischen und der Kennlinie der Prüffeldmessung

6 Zusammenfassung und Ausblick

Prinzipiell erzeugen mechanische Änderungen im Transformator auch Änderungen im Schwingungsverhalten, da sich die Mechanik der Quellen ändert. Die Quellen sind zum einen die Elektrobleche des Kerns, die durch Magnetostriktion vom magnetischen Fluss zu Schwingungen angeregt werden. Zum anderen sind es die stromdurchflossenen Wicklungen im Magnetfeld, auf welche Lorenzkräfte wirken. Die mechanischen Veränderungen lassen sich im Betrieb durch Messungen der mechanischen Schwingungen auf der Kesseloberfläche erfassen. In der Praxis muss für eine Bewertung der betrieblichen Schwingungen immer auch der Betriebszustand berücksichtigt werden. Last und Öltemperatur können wesentliche Einflussfaktoren darstellen. Aufgrund des Temperatureinflusses muss auch die Kühlungsart des Transformators betrachtet werden. Ebenfalls muss beachtet werden, dass die gemessenen Signale stark von der Position der Sensorik auf dem Kessel abhängen. Die Stufenschalterstellung spielt bei Leistungstransformatoren im Übertragungsnetz keine wesentliche Rolle, da die Regelung der Blindleistungskompensation die magnetische Flussdichte und damit auch die Magnetostriktion möglichst konstant hält. Insgesamt ergibt sich aus der Superposition aller Einflussgrößen ein komplexer Zusammenhang. Daher erscheinen einzelne Messungen, wie es in klassischen Diagnoseverfahren üblich ist, nicht sinnvoll. Stattdessen empfiehlt sich die Schwingungsmessung als kontinuierliche Überwachung im Sinne eines Monitorings im Betrieb mit festen Sensorpositionen. Neben der Schwingungsmessung müssen auch die genannten Einflussgrößen aus dem Betrieb wie Last und (Öl-) Temperatur erfasst werden, was im Normalfall bereits durch die Leittechnik geschieht. Wie Langzeitmessungen zeigen, können deren Einflüsse aus der Schwingungsmessung herausgerechnet werden. Dafür muss zunächst das Monitoring am Transformator eingelernt werden. Anhand der Messdaten des Monitorings können Kennlinien für die Korrelation von Schwingung und Temperatur bzw. Last ermittelt werden. Im weiteren Betrieb des Monitorings kann mithilfe der linear oder quadratisch approximierten Kennlinien eine Kompensation der Einflüsse vorgenommen werden. Mit dieser Kompensation kann eine Überwachung des Betriebsmittels durch das Schwingungsmonitoring erfolgen: ein zeitbasierter Vergleich bzw. eine Trendanalyse ermöglicht es, Veränderungen des Betriebsmittels zu erkennen und zu verfolgen. Ein mehrjähriges Monitoring eines Maschinentransformators zeigt die Anwendbarkeit der Methode in der Praxis. Prinzipiell eignet sich das Verfahren für die individuelle Betrachtung des einzelnen Betriebsmittels. Ein direkter Vergleich verschiedener Transformatoren ist im Allgemeinen aufgrund der beschriebenen unterschiedlichen Einflussgrößen aber nicht möglich.

Ansätze mithilfe moderner Auswertungsverfahren basierend auf maschinellem Lernen können in Zukunft zusätzlich beitragen, aus Daten des Schwingungsmonitoring Betriebsmittel relevante Veränderungen trotz der Überlagerung verschiedener Effekte noch zuverlässiger zu erkennen [96]. Zu bemerken ist, dass hierfür eine validierte Messdatenbasis von Betriebsdaten ausreichender Größe zur Verfügung stehen muss, die für das Training der maschinellen Verfahren notwendig ist.

Zusätzlich eignet sich die Schwingungsmessung als guter Indikator für Wechselwirkungen aufgrund von Gleichströmen in Leistungstransformatoren. Dazu muss prinzipiell zwischen zwei Quellarten unterschieden werden: symmetrischen Gleichströmen und unsymmetrischen Gleichströmen. Symmetrische Gleichströme weisen auf allen AC-Phasen den gleichen Betrag und die gleiche Richtung auf. Sie können durch galvanische Einkopplungen externer Quellen in geerdete Sternpunkte oder durch geomagnetische Induktion als quasi-Gleichströme hervorgerufen werden. Symmetrische Gleichströme führen zu keinen signifikanten Wechselwirkungen in 3-Schenkeltransformatoren, wohl aber bei 5-Schenkeltransformatoren. Bei unsymmetrischen Gleichstromszenarien weisen die Gleichstromanteile in den AC-Phasen unterschiedliche Beträge auf. Ursache hierfür können freie Ladungsträger sein, die auf hybriden Trassen von HGÜ-Freileitungen in Form von Korona entstehen und auf benachbarten AC-Leitern einkoppeln. Unsymmetrische Gleichströme führen sowohl in 3-Schenkeltransformatoren als auch in 5-Schenkeltransformatoren zu vergleichbaren Wechselwirkungen.

Als wesentliche Wechselwirkungen sind die zunehmenden Geräusche und der starke Anstieg des Scheinleistungsbedarfs aufgrund der Sättigungseffekte im Kern zu beachten. Bereits kleine Strombeträge im Bereich von hundert Milliampere können signifikante Veränderungen im magnetischen Arbeitspunkt der Kernbleche verursachen. Bei steigendem Gleichstrom kommt es zu einer moderaten Zunahme der Wirkleistungsverluste. Kritischer ist die Zunahme der anderen Komponenten der Scheinleistung zu betrachten. Die Zunahme der eigentlichen Blindleistung bei Nennfrequenz ist zwar vernachlässigbar. Hinzu kommen jedoch harmonische Leistungsanteile, die zu einer linearen Zunahme der Scheinleistung bei steigendem Gleichstrom führen. Diese stellen Netzrückwirkungen dar, deren Auswirkungen in Zukunft genauer untersucht werden sollten.

Da die mechanischen Schwingungen des Kessels die Quelle der Geräusche darstellen sind beide Größen gut vergleichbar. Die Zunahme der mechanischen Schwingungen und somit der Geräusche ist bei geringen Gleichstrombeträgen, die kleiner sind als der Magnetisierungsstrom des Transformators, linear.

Es reichen bereits kleine Gleichstromeinkopplungen, um zu einer signifikanten Zunahme der Signalleistung von Schwingungen und Geräuschen zu führen. Bei weiter steigenden Gleichströmen über dem Magnetisierungsstrom flacht die Schwingungskennlinie ab, was auf das Sättigungsverhalten der Kernbleche zurückzuführen ist. Die Besonderheit der durch Gleichstrom hervorgerufenen Schwingungsanteile ist, dass diese aufgrund der Asymmetrie des magnetischen Arbeitspunktes andere Frequenzanteile aufweisen als normale Betriebsschwingungen. Die zusätzlichen Komponenten entstehen bei ungeraden Vielfachen der elektrischen Nennfrequenz. Dadurch lassen Sie sich von normalen Betriebsschwingungen unterscheiden. Das ermöglicht die Verwendung des Schwingungsmonitorings als Indikator für Gleichströme. Der Vergleich von Labor- und Feldmessungen zeigt: sind die Geräusch- und Schwingungskennlinien bei Gleichstrombeeinflussung bekannt, kann die Geräuschbelastung im Feld anhand der Schwingungsmessung abgeschätzt werden. Umgekehrt ist es auch möglich, die Größe des verursachenden Gleichstromes näherungsweise zu bestimmen.

Insbesondere hinsichtlich der gleichstromgetriebenen Effekte besteht weiterer Forschungsbedarf. Um die Netzrückwirkungen, Verluste und eine mögliche Betriebsmittelalterung besser abschätzen zu können und gegebenenfalls prognostizieren zu können bedarf es einer simulativen Betrachtung der Transformatoren sowie der Entwicklung geeigneter Modelle aller Betriebsmittel mit magnetischem Kern, also für Transformatoren und induktiver Stromwandler [97], [98].

Neben dem für Betreiber relevanten Klemmenverhalten ist für den Hersteller wichtig, welche Streuflüsse sich innerhalb eines Transformators oder Wandlers durch Gleichströme bedingte Sättigungseffekte ausbilden und ob diese beispielsweise durch induzierte Wirbelströme eine Gefahr für die Betriebsmittel darstellen können. Diese Betrachtungen können anhand geeigneter Feldsimulationen durchgeführt werden. Die Grundvoraussetzung für geeignete Modelle ist die Kenntnis über das Verhalten der Elektrobleche bei Gleichstrombeeinflussung. Bisher werden die Kenndaten für Elektrobleche nur für AC-Fälle erhoben, nicht jedoch für überlagerte Gleichströme. Daher besteht Bedarf in der Materialforschung. Wesentliche Punkte sind die Bestimmung des Sättigungsverhaltens, der Magnetostriktion, also des Schwingungsverhaltens und der Verluste der Bleche bei überlagerten Gleichstromkomponenten. Darüber hinaus gilt es auch, geeignete Gegenmaßnahmen zu definieren, die einen Gleichstrom im Transformator wirksam verhindern. Denkbar sind beispielsweise kapazitive DC-Blocker, die in die Erdung der Transformatorsternpunkte zwischengeschaltet werden.

7 Anhang

7.1 Kopplungsmechanismus auf hybriden Freileitungen

Detaillierte Beschreibung der Bewegung freier Ladungsträger zwischen HGÜ- und AC-Systemen, vergleiche Kapitel 5.1.3.

Ladungsträgergeneration

Die durch Korona entstehenden Ladungsträger sind zunächst kleine Ionen [99]: Neu ionisierte Atome/Moleküle sind von etwa $2,7 \cdot 10^{19}$ Molekülen/cm^3 umgeben. Viele Zusammenstöße pro Sekunde sorgen dafür, dass sich neutrale Moleküle um das Ion anlagern. Die neu formierten Moleküle sind vielfältig in ihrer Zusammensetzung. Die Beweglichkeit µ der entstandenen Ladungsträger ist charakteristisch für die jeweiligen Molekülgrößen. Im Mittel haben die neuen Ladungsträger eine hohe Beweglichkeit von etwa $\mu = 1,6 \cdot 10^{-4} \, m^2/Vs$. Die hohe Beweglichkeit hat zur Folge, dass die meisten Ionen schnell mit anderen kleinen Ionen gegensätzlicher Ladung rekombinieren. Treffen diese kleine Ionen auf Aitken-Kerne, das sind feste (Staub) oder flüssige (Nebel) Aerosolteilchen von etwa 0,01 µm – 0,1 µm Größe, so verbinden sie sich zu großen Ionen bzw. geladenen Teilchen. Diese haben eine geringere Beweglichkeit in der Größenordnung von $\mu \approx 10^{-8} \, m^2/Vs$. Im Regelfall tragen sie ebenso wie die kleinen Ionen eine einzelne Elementarladung $e = 1 \, eV = 1,6 \cdot 10^{-19}$ Coulomb. Ihre geringe Beweglichkeit führt zu weniger Zusammenstößen und daher auch zu einer geringeren Rekombinationsrate. Ihre dadurch erhöhte Lebensdauer beträgt ca. 15-20 Minuten und kann sich bei verschmutzter Luft auf bis zu einer Stunde verlängern. Verschiedene Studien zeigen, dass im unmittelbaren Umfeld der Leiter kleine Ionen überwiegen, wohingegen bei zunehmender Entfernung diese durch Rekombination reduziert werden und große Ionen dominieren [100], [101]. Abhängig davon, welcher Pol der HGÜ-Strecke betrachtet wird, können positive oder negative Korona zu einem Ladungsträgerstrom führen

Positive Korona

Wird ein Atom am Leiterseil des positiven HGÜ-Pols in Elektron und zurückbleibendes Ion aufgrund von Photoionisation getrennt, so wird das Sekundärelektron aufgrund seiner geringen Masse durch das elektrische Feld schnell in Leitungsrichtung beschleunigt, siehe Abbildung 7.1 links. Stößt es auf ein weiteres Atom kann ein Lawineneffekt ausgelöst werden (Stoßionisation). In der Plasmaregion (oder Lawinenregion) werden die entstehenden freien Elektronen zum Leiter hin beschleunigt, die positiven Ionen driften in entgegengesetzte Richtung, siehe Abbildung 7.1 rechts [83].

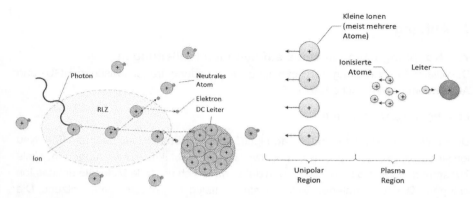

Abbildung 7.1   *Ladungsträgergeneration an einem Leiterseil des positiven HGÜ-Pols.*
Links: Ausbildung der RLZ durch initiale Photoionisation und Stoßionisation.
Rechts: Prinzipdarstellung der resultierenden Ladungstrennung.

Auf ihrem Weg stoßen sie mit Molekülen und Aerosolen zusammen und binden sich zu kleinen oder großen Ionenformationen (unipolar Region) [102]. Die Größenverhältnisse sind stark verzerrt dargestellt: Die Dicke der ionisierten Raumladungszone (RLZ) beträgt lediglich wenige Millimeter. Außerhalb der RLZ ist das elektrische Feld zu klein, um den Elektronen genügend kinetische Energie zu liefern. Sie können dort keine weiteren Atome durch Stöße ionisieren. Die Grenzfeldstärke E_{Grenz}, ab der die Korona einsetzt ist in [103] gegeben durch

$$E_{\text{Grenz}} = E_0 \cdot \delta \cdot m \cdot \left(1 + \frac{K}{\sqrt{\delta \cdot r}}\right) \qquad (7.1)$$

E_0 Feldstärke für Koronaeinsatz unter Normalbedingungen (25 °C, 101,33 kPa)
r Radius des betrachteten Leiters
m Oberflächenbeschaffenheit des Leiters
δ relative Luftfeuchtigkeit (Abhängig von der Umgebungstemperatur)
K Korrekturfaktor

Die Oberflächenbeschaffenheit hängt im Wesentlichen von der Verschmutzung des Leiters und den klimatischen Randbedingungen ab. Eine Übersicht der Werte für m bzw. E_0 ist in bzw. Tabelle 7.2 angegeben [103].

Tabelle 7.1   *Leiteroberflächenbeschaffungskoeffizient m nach Verschmutzung und Wetter-*
lage

m	Beschreibung
1	Glatte Oberfläche
0,6-0,8	Trockenes Wetter
0,3-0,6	Regentropfen, Schnee, starke Verschmutzung
0,25	Starker Regen

Tabelle 7.2   *Einsatzfeldstärken für Koronaentladungen*

Feldart	$\hat{E}_0$ in kV/cm
AC	31
DC, positiv	31
DC, negativ	33,7

Negative Korona

Wird ein Atom am Leiterseil des negativen HGÜ-Pols in Elektron und zurückbleiben-des Ion getrennt, so bewegt sich das freie Elektron durch die Kraft des elektrischen Feldes weg vom Leiterseil. Positive Ladungsträger sammeln sich nahe um den Leiter (+ RLZ) bzw. werden vom Leiter langsam abgesaugt. Wie bei positiver Korona kann ein Lawineneffekt entstehen, siehe Abbildung 7.2. Die freien Elektronen sammeln sich in der unipolaren Region (- RLZ) und können sich dort mit neutralen Atomen/Mo-lekülen zu kleinen Ionen verbinden. Die geringere Beweglichkeit der kleinen Ionen verglichen mit freien Elektronen und die durch Stöße verringerte Energie erhöhen die Lebensdauer der Ionen. Ein Großteil der Ladungsträger der unipolaren Region kann sich ohne Rekombination vom Leiter entfernen, was zu einem konstanten Ladungs-trägerfluss führen kann. Dieser wird im Folgenden genauer betrachtet.

Ladungstägerfluss im überlagerten elektrischen Gleich- und Wechselfeld

Der jeweilige Bewegungsverlauf hängt von den Umgebungsparametern ab (Feldver-lauf durch weitere Leiterseile, Entfernung zum Erdboden, Mastaufhängung usw.). Die kleinen Ionen wandern entlang der elektrischen Feldlinien, bis sie den positiven Lei-ter oder eine Oberfläche mit Erdpotenzial erreichen, um dort ihr Elektron abzugeben. Positive Ionen nehmen am negativen Leiter ein Elektron auf.

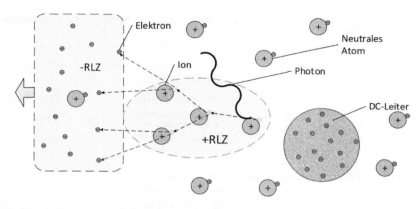

Abbildung 7.2:   *Ladungsträgergeneration an einem Leiterseil des negativen HGÜ-Pols*

Um die Bewegung der Ladungsträger und damit den im AC-System resultierenden Gleichstrom zu modellieren, wird für die Modellierung eine einheitliche Beweglichkeit aller Ionen angenommen. Ggf. kann noch einer Unterscheidung zwischen großen und kleinen Ionen getroffen werden. Auf eine Differenzierung der einzelnen Ionen wird aus praktischen Erwägungen verzichtet, da beispielsweise allein mit reinem Sauerstoff 50 verschiedene Reaktionsmöglichkeiten bestehen und zwölf unterschiedliche Ionentypen vorkommen [104].

Für die Modellierung ist das zeitlich nicht konstante Verhalten der Koronaentladung problematisch. Die Entstehung freier Ladungsträger ist zwar statistisch gut erfassbar, jedoch ist der tatsächliche zeitliche Verlauf nicht bekannt. Daher wird für die Modellierung der Ansatz von Cladé et al verwendet [105]. Dabei wird die Koronaentladung als Ausgleichsvorgang angenommen, der bestrebt ist das überlagernde resultierende elektrische Feld $\vec{E}_{Ges}$ konstant zu halten. $\vec{E}_{Ges}$ setzt sich zusammen aus den Feldeinflüssen aller Leiter $\vec{E}_{Leiter}$ und aller freien Ladungsträger $\vec{E}_{ion}$.

$$\vec{E}_{Ges} = \sum_{j=1}^{n} \vec{E}_{Leiter,j} + \sum_{k=1}^{n} \vec{E}_{ion,k} \qquad (7.2)$$

$$\vec{E}_{ion} = \frac{Q}{4\pi\varepsilon_0\varepsilon_r r^3}\vec{r} \qquad (7.3)$$

Q Freie Ladungsmenge
$\vec{r}$ Abstandsvektor zwischen dem betrachteten Punkt im Raum und der freien Ladung

Das Modell versucht einen stationären Zustand zu erreichen, bei dem keine weitere Feldänderung auftritt. Statische Gleichfelder von HGÜ-Anwendungen können damit direkt bestimmt werden. Für Wechselfelder aus AC-Anwendungen muss dagegen für jeden gewählten Zeitschritt die Iteration separat durchgeführt werden, wobei die Anfangsbedingung für die bereits vorhandene Raumladung aus dem vorhergehenden Schritt herangezogen wird. Jede einzelne Iteration läuft nach dem in Abbildung 7.3 gezeigten Schema ab.

Festlegung der Randbedingungen

Das geometrische Modell der Leiter auf einem Mast wird erstellt [83]. Aus Symmetriegründen kann ein zweidimensionaler Ansatz angenommen werden. Die Potentiale der HGÜ- bzw. der AC Leiterseile gegen Erde werden festgelegt.

Schritt 1

Ausgehend von der Annahme, dass zu Betrachtungsbeginn keine Raumladungen existieren, wird das dazugehörende elektrische Feld als Überlagerung aller Leiterfelder $\vec{E}_{Leiter}$ bestimmt.

Schritt 2

Wird an einer Leiteroberfläche der Grenzwert E_{Grenz} aus Gleichung (7.1) überschritten, wird eine definierte Menge an Ladungsträgern an der Leiteroberfläche injiziert. Es gibt verschiedene Möglichkeiten die Menge injizierter Ladungen festzulegen. Für einfache Betrachtungen reicht die Annahme einer konstanten Anzahl neu emittierter Ladungsträger. Eine feldabhängige Injektion ist z.B. durch das von [84] vorgestellte Verfahren möglich, siehe Gleichung (7.4). Der Faktor k ist der Freiheitsgrad und sollte derart parametriert werden, dass ein sinnvoller Wert injizierter freier Ladungsträger für den nächsten Iterationsschritt gegeben ist: Ziel ist ein möglichst schnelles Konvergieren des Iterationsprozesses ohne Überschwingen.

$$\rho = \varepsilon_0 \cdot (E_{Leiter} - E_{Grenz}) \cdot e^{\left[k \cdot \left(\frac{E_{Leiter}}{E_{Grenz}} - 1\right)\right]} \qquad (7.4)$$

ρ Anzahl der injizierten Ladungsträger

k konstanter Exponentialfaktor

Schritt 3

Die elektrischen Feldverteilungen aller Raumladungen werden berechnet und wieder aus der Superposition aller Feldkomponenten gemäß Gleichung (7.1) $\vec{E}_{Ges}$ ermittelt.

Schritt 4

Die freien Ladungsträger bewegen sich in einem Zeitschritt gemäß ihrer Ladung entlang $\vec{E}_{Ges}$ mit der Driftgeschwindigkeit $\vec{v}_{Drift}$, die von der Feldstärke und der Beweglichkeit der freien Ladungsträger abhängt.

$$\vec{v}_{Drift} = \mu_{Drift} \cdot \vec{E}_{Ges} \qquad (7.5)$$

μ_{Drift} Beweglichkeit der freien Ladungsträger

Die Iteration wir solange fortgeführt, bis ein Zustand ohne Ladungsträgergeneration erreicht ist, also die Beträge der lokalen Feldstärken an der Leiteroberfläche aufgrund der durch Injektion entstandenen Raumladungen kleiner sind als die Grenzfeldstärke E_{Grenz}. Dieser Zustand hält solange an, bis sich die Raumladungen soweit vom Leiter entfernt haben, dass sie keine schirmende Wirkung mehr für die Leiteroberfläche haben und die lokale Feldstärke wieder E_{Grenz} übersteigt und wieder eine bestimme Menge an Ladungsträgern injiziert wird. Aus der Simulation entstehen so kontinuierlich Raumladungen, die zu den AC-Leitern driften. Damit ergibt sich aus der mittleren Menge an Ladungsträgern, die in einem Zeitintervall auf die AC-Leiter treffen, die resultierende Gleichstromeinkopplung.

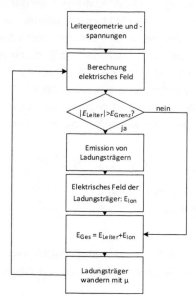

Abbildung 7.3   Feldabhängige Ermittlung freier Ladungsträger, Iteration nach [105], [84]

7.2 Leistungsbezüge von 5-Schenkeltransformatoren bei DC-Überlagerung

Tabelle 7.3   Beispiel Kenndaten 350 MVA, 380 kV / 110 kV / 30 kV Netzkuppeltransformatoren, siehe Kapitel 5.2.4

Nennleistung	350 MVA
Kurzschlussspannung	10,3 %
Spannung 1	380 kV
Spannung 2	110 kV
Spannung 3	30 kV
Leerlaufverluste	93,981 kW
Tap = Stufenschalterstellung	
Windungszahl 1UVWk in Tap 1	937
Windungszahl 1UVWk in Tap 14	807
Windungszahl 1UVWk in Tap 27	677
Windungszahl 2UVWk	242
Windungszahl 3UVWk	105
Widerstand 1Uk	0,37685 Ω
Widerstand 1Vk	0,37709 Ω
Widerstand 1Wk	0,37688 Ω
Widerstand 2Uk	0,027555 Ω
Widerstand 2Vk	0,027667 Ω
Widerstand 2Wk	0,027627 Ω
Widerstand 3Uk-3Vk	0,040235 Ω
Widerstand 3Vk-3Wk	0,040137 Ω
Widerstand 3Wk-3Uk	0,040399 Ω

8 Literatur

[1]   Cigré, Technical Brochure 642, WG A2.37 Transformer Reliability Survey, Paris, 2015.

[2]   F. Vahidi und S. Tenbohlen, „Statistical Failure Analysis of European Substation Transformers," in *ETG-Fachtagung Diagnostik elektrischer Betriebsmittel* , 2014.

[3]   E. Dörnenburg und O. Gerber, „Die Analyse gelöster und abgeschiedener Gase als Hilfsmittel für die Betriebsüberwachung von Öltransformatoren," *Brown Boveri Mitteilungen,* Bd. 54, Nr. 2/3, pp. 104-111, 1967.

[4]   E. Dörnenburg und W. Strittmatter, „Überwachung von Öltransformatoren durch Gasanalyse," *Brown Boveri Mitteilungen,* Bd. 74, Nr. 5, pp. 238-247, 1974.

[5]   Cigre 296, „Recent Developments in DGA Interpretation," *Cigre Brochure 296,* 2006.

[6]   ASTM D3612, „Standard Test Method for Analysis of Gases Dissolved in Electrical Insulating Oil by Gas Chromatography," *ASTM International Standard D 3612-02(2009),* 2009.

[7]   M. Cunningham, R. Cox und C. McIlroy, „Photo-acoustics for DGA - Developments and a Utilities Perspective," in *EPRI Substation Equipment Diagnostics Conference,* New Orleans, 2005.

[8]   C. Hummel, Charakterisierung einer Membran-Gassensor-Kombination zum Nachweis von gelösten Gasen, Gießen: Dissertation, Justus-Liebig Universität, 2001.

[9]   Cigré, Technical Brochure 771, JWG D1/A2.47 Advances in DGA interpretation, Paris, 2019.

[10] IEEE C57.104, „IEEE Guide for the Interpretation of Gases Generated in Oil-Immersed Transformers," *IEEE Std C57.104-2008,* 2009.

[11] R. Rogers, „IEEE and IEC Codes to Interpret Incipient Faults in Transformers, using Gas in Oil Analysis," *IEEE Trans. Electr. Insul.*, Bd. 13, Nr. 5, pp. 349-354, October 1978.

[12] R. Müller, „Gasanalyse - Vorsorgeuntersuchung für Transformatoren," *Elektrizitätswirtschaft*, Bd. 79, Nr. 10, pp. 356-360, 1980.

[13] A.   Müller,   Dissertation: Fehlergasverluste   frei-atmender Leistungstransformatoren, Stuttgart: Sierke, 2016.

[14] A. Müller und S. Tenbohlen, „Analysis of Fault Gas Losses through the Conservator Tank of free-breathing Power Transformers," in *ISH 2013*, Südkorea, Seoul, 2013.

[15] IEC-60270, „IEC 60270 High Voltage Test Techniques - Partial Discharge Measurements," Geneva, Switzerland, 2000.

[16] M. Siegel und S. Tenbohlen, „Comparison between Electrical and UHF PD Measurement concerning Calibration and Sensitivity for Power Transformers," in *International Conference on Condition Monitoring and Diagnosis*, Jeju, Südkorea, 2014.

[17] Cigré, Technical Brochure 662, D1.37 Guidelines for partial discharge detection using conventional and unconventional methods, Paris, 2016.

[18] S. Coenen, Measurement of Partial Discharges in Power Transformers using Electromagnetic Signals, Stuttgart: Sierke, 2012.

[19] M. Siegel, M. Beltle und S. Tenbohlen, „Characterization of UHF PD sensors for power transformers using an oil-filled GTEM cell," *IEEE Transactions on Dielectrics and Electrical Insulation, Volume 23, Issue 3*, pp. 1580-1588, 2016.

[20] M. Beltle, S. Siegel, S. Tenbohlen und S. Coenen, „Combined In-Oil Sensor for Vibration Measurement and Partial Discharge Detection using Acoustic and Electromagnetic Emissions," in *Cigré A2/C4 Colloquium, Zürich*, Schweiz, 2013.

[21] S. Makalous, S. Tenbohlen und K. Feser, „Detection and location of partial discharges in power transformers using acoustic and electromagnetic signals," *IEEE Transactions on Dielectrics and Electrical Insulation, Volume 15, Issue 6*, 2008.

[22] S. M. A. Coenen, M. Beltle und S. Kornhuber, „UHF and acoustic Partial Discharge Localisation in Power Transformers," in *International Symposium on High Voltage Engineering (ISH), Paper No. D-015*, Hannover, Germany, 2011.

[23] Cigré, Technial Brochure 342, WG A2.26 Mechanical-Condition Assessment of Transformer Windings using Frequency Response Analysis (FRA), WG-A2.26, Hrsg., 2008.

[24] M. Heindl, M. Beltle, S. Tenbohlen und S. Coenen, „Untersuchung der Vergleichbarkeit von Übertragungsfunktionsmessungen (FRA) an," in *VDE-ETG-Fachtagung: Diagnostik elektrischer Betriebsmittel*, Fulda, 2012.

[25] R. Wimmer, S. Tenbohlen, K. Feser, A. Kraetge, M. Krüger und J. Christian , „The Influence of Connection and Grounding Technique on the Repeatability of FRA-Results," in *15th International Symposium on High Voltage Engineering*, Ljubljana, Slovenia, 2007.

[26] M. Heindl, S. Tenbohlen, J. Velásquez, A. Kraetge und R. Wimmer, „Transformer Modelling Based On Frequency Response Measurements For Winding Failure Detection," in *International Conference on Condition Monitoring and Diagnosis*, Tokio, Japan, 2010.

[27] C. Bartoletti, M. Desiderio und D. Di Carlo, „Vibro-Acoustic Techniques to Diagnose Power Transformers," in *IEEE Transactions on Power Delivery Volume 19, Issue1*, 2004.

[28] A. Secic, M. Krpan und I. Kuzle, „Vibro-Acoustic Methods in the Condition Assessment of Power Transformers: A Survey," *IEEE Access*, Bd. 7, pp. 83915 - 83931, 2019.

[29] S. Chen, B. Daoudi, S. Louise, G. Luna und F. Devaux, „Resonance Effect on Noise due to Magnetostriction on Magnetic Circuit," in *Proceedings of the 18th International Symposium on High Voltage Engineering* , Seoul, Korea, 2012.

[30] E. Kornatowski und S. Banaszak, „Diagnostics of a Transformer's Active Part With Complementary FRA and VM Measurements," in *IEEE Transactions on Power Delivery Volume 29, Issue 3*, 2014.

[31] B. García, J. Burgo und A. Alonso, „Transformer Tank Vibration Modeling as a Method of Detecting Winding Deformations Part I: Theoretical Foundation,"

IEEE Transactions on Power Delivery, Vol. 21, No. 1, pp. 157-163, January 2006.

[32] B. García, J. Burgo und A. Alonso, „Transformer Tank Vibration Modeling as a Method of Detecting Winding Deformations Part II: Experimental Verification," in *IEEE Transactions on Power Delivery, Vol. 21 Issue 1,* IEEE, 2006, pp. 164 - 169.

[33] Z. Berler, A. Golubev und V. Rusov, „Vibro-acoustic method of transformer clamping pressure monitoring," in *Conference Record of the 2000 IEEE International Symposium on Electrical Insulation,* 2000.

[34] B. Munir, J. Smit und I. Rinaldi, „Diagnosing winding and core condition of power transformer by vibration signal analysis," in *IEEE International Conference on Condition Monitoring and Diagnosis,* Bali, Indonesien, 2012.

[35] E. Rivas, J. C. Burgos und J. C. Garcia-Prada, „Condition Assessment of Power OLTC by Vibration Analysis Using Wavelet Transform," in *IEEE Transactions on Power Delivery,* 2009.

[36] H. Majchrzak, A. Cichon und S. Borucki, „Application of the Acoustic Emission Methodfor Diagnosis of On-Load Tap Changer," *Archives of Acoustics,* Bd. 42, Nr. 1, pp. 29-35, 2017.

[37] P. Kang und D. Birtswhistle, „Condition assessment of power transformer onload tap changers using wavelet analysis and self-organizing map: field evaluation," *IEEE Transactions on Power Delivery,* Bd. 18, Nr. 1, pp. 78-84, 2003.

[38] K. Viereck, A. Saveliev und H. Hochmuth, „Acoustic Tap-Changer Monitoring Using Wavelet Analyses," in *The 19th International Symposium on High Voltage Engineering (ISH),* Pilsen, 2015.

[39] P. Kang und D. Birtwhistle, „Condition monitoring of power transformer on-load tap-changers. I. Automatic condition diagnostics," *IEE Proceedings - Generation, Transmission and Distribution,* Bd. 148, Nr. 4, pp. 301 - 306, 2001.

[40] M. Foata, R. Beauchemin und C. Rajotte, „On-line testing of on-load tap changers with a portable acoustic system," in *IEEE 9th International*

Conference on Transmission and Distribution Construction, Operation and Live-Line Maintenance, Quebec. Kanada, 2000.

[41] M. Beltle und S. Tenbohlen, „Power Transformer Diagnosis based on Mechanical Oscillations Including DC Influences,“ *IEEE Transactions on Dielectrics and Electrical Insulation, Volume 23, Issue 3*, pp. 1515-1522, 2016.

[42] H. Ma, J. He, B. Zhang, R. Zeng, S. Chen und L. Cao, „Experimental study on DC biasing impact on transformer's vibration and sound,“ in *IEEE International Symposium on Electromagnetic Compatibility*, Detroit, USA, 2008.

[43] J. He, Z. Yu, R. Zeng und B. Zhang, „Vibration and audible noise characteristics of AC transformer caused by HVDC system under monopole operation,“ *IEEE Transactions on Power Delivery* , Bd. 27, Nr. 4, pp. 1835 - 1842, 2012.

[44] E. Reiplinger, „Geräuscherhöhungen bei Großtransformatoren bei gleichstromüberlagerten Netzen,“ *EW*, Nr. 6, p. 278, 1992.

[45] B. Rusek, J. Wulff und K.-H. e. a. Weck, „Ohmic coupling between AC and DC circuits on hybrid overhead lines,“ in *Cigré 2013*, Auckland, NZ, 2013.

[46] M. Berroth, Theorie der Schaltungen, Stuttgart: Institut für elektrische und optische Nachrichtentechnik, 2003.

[47] DIN–60404-2, DIN EN 60404-2:2009-01 Magnetische Werkstoffe - Teil 2: Verfahren zur Bestimmung der magnetischen Eigenschaften von Elektroband und -blech mit Hilfe eines Epsteinrahmens, 2009.

[48] F. Fiorillo, Measurement and Characterization of Magnetic Materials, 1. Hrsg., A. Press, Hrsg., San Diego, CA, 2004.

[49] R. Küchler, Die Transformatoren, 2. Auflage, Heidelberg: Springer Verlag, 1966.

[50] G. Bertotti, „General Properties of Power Losses in Soft Ferromagentic Materials,“ in *IEEE Transactions on Magnetics Volume 24, Issue 1*, 1988.

[51] H. Fischer, Werkstoffe in der Elektrotechnik, München: Carl Hanser Verlag, 1982.

[52] H. Stöcker, Taschenbuch der Physik, Frankfurt am Main: Verlag Harri Deutsch, 2000.

[53] IEC 60076, IEC 60076-10 Power Transformers- Part10: Determination of sound levels, 2001.

[54] G. Fasching, Werkstoffe der Elektrotechnik, 4 Hrsg., Wien: Springer-Verlag, 2005.

[55] P. Horowitz und W. Hill, The Art of Electronics, 3. Hrsg., Cambrige: Cambridge University Press, 2015.

[56] W. Baxmann, Zur Theorie des Transformatorlärms magnetischen Ursprungs, D. Reprografie, Hrsg., Hannover: Universität Hannover, 1961.

[57] M. Beltle, M. Siegel, S. Tenbohlen und S. Coenen, „Untersuchung verschiedener Verfahren zur TE-Detektion und zur Vibrationsmessung," in *VDE-ETG Diagnostik elektrischer Betriebsmittel*, Fulda, 2012.

[58] P. Kung, R. Idsinge und J. Bin Fu, „Online detection of windings distortion in power transformers by direct vibration measurement using a thin fiber optics sensor," in *IEEE Electrical Insulation Conference (EIC)*, 2016.

[59] DIN-61672, DIN EN 61672-1:2014-07: Elektroakustik - Schallpegelmesser - Teil 1: Anforderungen, Deutsche Industrie Norm, 2014.

[60] C. Ploetner, „Cigré WG A2.54 - Power transformer audible sound requirements, Interim Report," *Electra*, pp. 50-53, Februar 2019.

[61] T. Hilgert, L. Vandevelde und J. Melkebeek, „Comparison of Magnetostriction Models for Use in Calculations of Vibrations in Magnetic Cores," *IEEE Transactions on Magnetics, Volume 44, Issue 6,* pp. 874-877, 2008.

[62] H. Pfützner, G. Shilyashki und F. Hofbauer, „Magnetostrictive deformation of a transformer: A comparison between calculation and measurement," *International Journal of Applied Electromagnetics and Mechanics,* Bd. 44, Nr. 3, pp. 295-299, 2012.

[63] Q. Li, X. Wang, L. Zhang, J. Lou und L. Zou, „Modelling methodology for transformer core vibrations based on the magnetostrictive properties," *IET Electric Power Applications,* Bd. 6, Nr. 9, pp. 604-610, 2012.

[64] S. Shen, B. Daoudi, S. Louise, G. Luna und F. Devaux, „Resonance Effect on Noise Due to Magnetostriction on Magnetic Circuit," in *18th International Symposium on High Volatage Engineering*, Seoul, South Korea, 2013.

[65] M. Pirnat und P. Tarman, „How to design and control transformer noise," in *Stuttgarter Hochspannungssymposium* , Stuttgart, 2018.

[66] Y. Wang, J. Pan und M. Jin, „Finite Element Modelling of the Vibration of a Power Transformer," in *Acoustics 2011*, Gold Coast, Australia, 2011.

[67] M. Beltle und T. S., „Schwingungsmessung an Leistungstransformatoren," in *6. ETG-Fachtagung Diagnostik elektrischer Betriebsmittel*, Berlin, 2014.

[68] M. Beltle und S. Tenbohlen, „Diagnostic Interpretation of Mechanic Oscillations of Power Transformers," in *19th International Symposium on High Voltage Engineering (ISH)*, Pilsen, Tschenien, 2015.

[69] A. Suzuki und N. Fukushima, „Space current around the earth obtained with Ampère's law applied to the MAGSAT orbit and data," *Earth, Planets and Space,* pp. 43-56, 1998.

[70] D. Boteler und R. Pirjola, „Modelling geomagnetically induced currents produced by realistic and uniform electric Fields," *IEEE Transactions on Power Delivery, Volume 13 Issue 4,* pp. 1303-1308, 1998.

[71] Howard, R., A Historical Perspective on Coronal Mass Ejections. Solar Eruptions and Energetic Particles, American Geophysical Union., 2013.

[72] R. C. Carrington, „Description of a Singular Appearance seen in the Sun on September 1, 1859," *Monthly Notices of the Royal Astronomical Society, Vol. 20,* pp. 13-15, 1859.

[73] L. Bolduc, „GIC observations and studies in the Hydro-Québec power system," *J. Atmosph. Solar-Terrestrial Phys., Vol. 64,* pp. 1793-1802, 2002.

[74] NASA, „SOHO-Gallery," 2016. [Online]. Available: http://sohowww.nascom.nasa.gov/gallery/images/promquad.html. [Zugriff am 29 06 2015].

[75] J. Kappernman und V. Albertson, „Bracing for the geomagnetic storms," *IEEE Spectrum,* pp. 27-33, 1990.

[76] J. Kappernman, V. Alertson und N. Mohan, „Current transformer and relay performance in the presence of geomagnetically- induced current," in *IEEE Transactions on Power Apparatus and System*, 1981.

[77] Committee on the Societal and Economic Impacts of Severe Space Weather Events, „Severe Space Weather Events - Understanding Societal and Economic Impacts: A Workshop Report," *National Academies Press*, p. 13.

[78] V. D. Albertson, B. Bozoki, W. E. Feero, J. G. Kappermann, E. V. Larsen, D. E. Nordell, J. Ponder, F. S. Prabhakara, K. Thompson und R. Walling, „Geomagnetic Disturbance Effects on Power Systems -A Report prepared by the IEEE Transmission and Distribution Committee Working Group on Geomagnetic Disturbances and Power System Effects," *IEEE Transactions on Power Delivery*, Bd. 8, Nr. 3, pp. 1206-1217, 1993.

[79] R. Pirjola, C.-M. Liu und L.-G. Liu, „Geomagnetically Induced Currents in Electric Power Transmission Networks at Different Latitudes," in *Asia-Pacific International Symposium on Electromagnetic Compatibility*, Beijing, China, 2010.

[80] T. Halbedl, H. Renner und G. Achleitner, „Einfluss des Geomagnetismus auf das österreichische Hochspannungsnetz," in *VDE-ETG Schutz- und Leittechnik*, Berlin, 2016.

[81] VDE-DKE, Normentwurf Freileitungen über 45 kV - Hybride AC/DC-Übertragung und DC-Übertragung, Frankfurt am Main: VDE, 2016.

[82] P. Marauvada und S. Drogi, „Field and Ion Interactions of Hybrid AC/DC Transmission Lines," *IEEE Transactions on Power Delivery Volume 5 Issue 3*, pp. 1165 - 1172, 2002.

[83] M. Beltle, M. Gnädig, M. Siegel, S. Tenbohlen, U. Sundermann und F. Schatzl, „Beeinflussung von Leistungstransformatoren in Hybridnetzen," in *Internationaler ETG-Kongress* , Berlin, 2013-1.

[84] U. Straumann und C. Franck, „Ion-Flow Field Calculations of AC/DC Hybrid Transmission Lines," *IEEE Transactions on Power Delivery, Volume 28, Issue 1*, pp. 294-302, 2013.

[85]   DEnA, „dena-Netzstudie II Integration erneuerbarer Energien in die deutsche Stromversorgung im Zeitraum 2015-2020 mit Ausblick 2025," dena, Berlin, 2010.

[86]   V. Albertson, J. Thorson, R. Clayton und S. Tripathy, „Solar-Induced-Currents in Power Systems: Cause and Effects," *IEEE Transactions on Power Apparatus and Systems*, Nr. 2, pp. 471-477, 1973.

[87]   M. Beltle, S. Tenbohlen und U. Sundermann, „Auswirkungen von Gleichströmen auf Leistungstransformatoren," in *VDE-ETG Diagnostiktagung*, Berlin, 2014.

[88]   W. Jiayin, B. Baodong und L. Hongliang, „Research on vibration and noise of transformer under DC bias based on magnetostriction," in *International Conference on Electrical Machines and Systems (ICEMS)*, 2013.

[89]   M. Beltle, M. Schuehle und S. Tenbohlen, „Influences of direct currents on power transformers caused by AC-HVDC interactions in hybrid grids," in *ISH 2015*, Pilsen, 2015.

[90]   L. Bolduc, P. Kieffer, M. Dutil, M. Granger und Q. Bui-Van, „Currents and harmonics generated in power transformers," *Engineering and Operating Division, Canadian Electrical Assoc, Vol. 29*, 1990.

[91]   IEEE-1459, 1459-2010 - IEEE Standard Definitions for the Measurement of Electric Power Quantities Under Sinusoidal, Nonsinusoidal, Balanced, or Unbalanced Conditions, 2010.

[92]   M. Beltle, M. Schühle, S. Tenbohlen und U. Sundermann, „Das Verhalten von Leistungstransformatoren bei Beanspruchung mit Gleichströmen," in *Stuttgarter Hochspannungssymposium*, Stuttgart, 2016.

[93]   M. Beltle, M. Schühle, S. Tenbohlen und U. Sundermann, „Betrachtung galvanisch eingekoppelter Gleichströme im Übertragungsnetz und deren Auswirkungen auf Leistungstransformatoren," in *VDE-Fachtagung Hochspannungstechnik*, Berlin, 2016.

[94]   Intermagnet, „International Real-time Magnetic Observatory Network," 2019. [Online]. Available: www.intermagnet.org.

[95] Deutsches Geoforschungszentrum / Helmholtz-Zentrum Potsdam, „GFZ," 2019. [Online]. Available: www.gfz-potsdam.de/sektion/geomagnetismus/infrastruktur/geomagnetische-observatorien/wingst/.

[96] K. Hong und G. Lin, „State classification of transformers using nonlinear dynamic analysis and hidden Markov models," *Measurement,* Nr. 147, 2019.

[97] M. Schühle, M. Beltle, S. Tenbohlen und D. Bonmann, „Entwicklung eines Simulationsmodells für Leistungstransformatoren zu Betrachtung magnetischer Flüsse bei Sättigung," in *VDE-ETG Hochspannungstechnik,* Berlin, 2016.

[98] M. Schühle, M. Beltle und S. Tenbohlen, „Beeinflussung von induktiven Stromwandlern in Hoch- und Höchstspannungsnetzen durch parasitäre Gleichströme," in *VDE-Hochspannungstechnik,* Berlin, 2018.

[99] A. Krueger und E. Reed, „Biological Impact of Small Air Ions," *Science, Volume 193, Issue 4259,* pp. 1209-1213, September 1976.

[100] T. Suda und T. Sunaga, „Small Ion Mobility Characeristics under the Shiobara HVDCD Test Line," *IEEE Transactions on Power Delivery, Volume 5 Issue 1,* pp. 247-253, 1990-1.

[101] T. Suda und S. Y., „An Experimental Study of Large Ion Density under the Shiobara HVDC Test Line," *IEEE Transactions on Power Delivery, Volume 5 Issue 3,* pp. 1426-1435, 1990-2.

[102] A. Küchler, Hochspannungstechnik, Heidelberg: Springer, 2009.

[103] CIGRÉ C4 WG 36.01, Interferences Produced by Corona Effect of Electric Systems. Description of Phenomena, Practical Guide for Calculation, Paris: Cigré, 1974.

[104] P. Sattari, FEM-FCT Bassed Dynamic Simulation of Trichel Pulse Corona Discharge in Point-Plane Configuration, Western University, 2011.

[105] J. Clade, C. Gary und L. C., „Calculation of Corona Losses Beyond the Critical Gradient in Alternating Voltage," *IEEE Transactions on Power Apparatus and Systems,* pp. 695-703, 1969.